JN123232

なんじょうしけんぶんき

南城市見聞記

NANJO CITY EXPERIENCE REPORT

なんじょうしけんぶんき

南城市見聞記

NANJO CITY EXPERIENCE REPORT

読んで歩いて
なんじょうの地名と文化

仲宗根 幸男 著

はじめに

地名の呼称には意味があり、それは先人たちが残してくれた歴史的文化遺産である。ところが、地名には当て字による漢字表記が多く、本来の地名の持つ意味が失われる要因になっている。地名は人と自然との関わりを教えてくれる記録媒体でもあり、また歴史も証してくれる。先人たちの豊かな知見をあらためて思い知らされた。

本書で取り上げる南城市は沖縄本島南部にある市で、二〇〇六年一月一日、島尻郡の佐敷町、知念村、玉城村、大里村が合併して誕生した。筆者は南城市内の集落地名を解明してみたいとの思いからこれまで考察を進めてきた。

地名には字数の違いで、一字地名、二字地名、三字地名がある。本書で取り上げた南城市の五十九の漢字集落地名のうち一字地名はなく、二字地名は六七・八％、残りの三二・二％が三字地名である。

また、集落の地名には歴史地名、地形地名、産地地名などがある。例えば、古堅、銭又、佐敷は歴史地名、島袋、具志堅、大城は地形地名、小谷は産地地名、久手堅、知念はともに神職地名、船越、稲嶺は人事地名などである。

本書における地名についての考察の結果が妥当かどうかは読者の方々がその結果をもとに論議し、少しでも妥当な解釈に近づけていただきたい。

また本書では地名に加えて、各地のまつりなどについて見聞きして調べてきたことも取り上げている。さらに、市民らが作った琉歌もご紹介している。これらの歌のごとく、南城市に文化の華を咲かせたいものである。

とよむ南城市　文化華咲かち　東四間切の　ハートのまち
（比嘉典子氏の琉歌）。
東四間切に　さやか照る月や　勝て色美らしゃ　海も山も
（宮城風水氏の琉歌）。
南城の人の　花蕾育て　文化華あまた　もたえ咲かさ
（津波松夫氏の琉歌）。
四間切の思ひ　一節に結で　四方の南城市や　もたへ栄へ
（大城弘氏の琉歌）。
鳴響む南城市　神どころでむぬ　押し連りて拝で　この世福ら
（赤嶺幸喜氏の琉歌）。
神代から続く　南城市の文化　童達に継ぎやり　世々に残さ
（上原仁吉氏の琉歌）。
芸能ぬ島に　ヌーバレー残ち　若者ぬうむい　棒とぅ獅子とぅ
（金城幸子氏の琉歌）。
あまたある聖地　南城市の文化　代代のある限り　皆し守ら
（照屋君子氏の琉歌）。
（『なんじょう文化　創刊号』（南城市文化協会連合会、南城市）には、
第7・8・10回琉歌募集事業作品一覧より）

最後に、この冊子が南城市の魅力の再発見に少しでも役立つことを願っている。また写真と資料のご提供並びにご教示を頂いた方々に衷心から感謝申し上げます。

南城市の市章は「南城市」の文字を図案化し、緑色は豊かな自然を、青色は豊穣の海を、赤色は太陽をイメージしたものである。デザインしたのは沖縄市在住の和宇慶文夫氏。

ロゴマークのハートは南城市の市域を、花粉は佐敷、知念、玉城、大里の４つの地域を、花芯は久高島をあらわす。マークの作者は東京都在住の宇佐美朋子さんである。

Contents

玉城地区（旧玉城村） 95

大里地区（旧大里村） 155

column

【カバー＆本文デザイン】仲田 慎平

南城市位置図

南城市は、沖縄本島南部の東海岸、中城湾と太平洋に面する東西18㎞、南北8㎞、面積49.70k㎡の市である。県都那覇市から南東へ約12㎞に位置する。2006年1月1日に、1町3村（佐敷町・知念村・玉城村・大里村）の合併により誕生した。

緑豊かな自然環境に囲まれており、神の島・琉球民族発祥の地とされる久高島をはじめ、世界遺産である「斎場御嶽（せーふぁうたき）」、稲作発祥の地とされる受水走水、数々のグスク、東御廻り（あがりうまーい）の文化遺産など、歴史・文化史跡を多数有している。

①斎場御嶽は琉球開闢伝説にも登場する琉球王国最高の聖地であり、東御廻り（あがりうまーい）の参拝地として現在も多くの人に崇拝されている。写真は御嶽にある神域のひとつ、三庫理（サングーイ）。②琉球の開闢の祖アマミキヨが天から舞い降りてきたとされる久高島。数々の御嶽や史跡がある。③稲作発祥の地とされている「受水（うきんじゅ）」「走水（はいんじゅ）」と、近接する水田で行われる親田御願。豊作を祈って男性たちが田植えを行う。

佐動地図

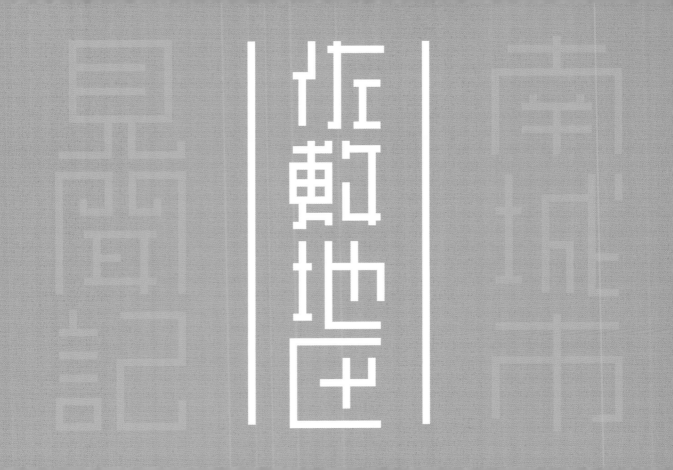

佐敷地区

（旧佐敷町）

佐敷地区の位置

佐敷町町章（1980年6月1日制定）
2006年1月1日廃止

◉琉球王国時代の佐敷

絵図郷村帳（一六四九年）に佐敷（鋪）間切の村名として、屋びく村、てどこん村、与那嶺村、佐鋪村、平田村、なわ志る村（当時無之）、なかう村（当時無之）がみえる。二村は「当時これなし」とあるが、当時とは当時用候表（一七三六年）段階であることが指摘されている（田名真之著　南島地名考）。なかう村は仲尾のことであろう。新里は大昔仲尾と呼称されていたという（佐敷村誌）。なわ志る（苗代）村は佐敷村に編入されていたのであろう。それで「当時これなし」になったと思われる。

琉球国由来記（一七一三年）には、佐敷村、津波古村、與那嶺村、新里村、手登根村、屋比久村、外間

○○○○○ 佐敷の琉歌

佐敷若按司や　三山よ治め
ふたかちやの御世の　王朝よたてて（作・伊藝源一氏）
三山ゆ治めて　王国ゆ興す
尚巴志の偉業　幾世までん（作・中村繁一氏）

村、平田村、小谷村がみえる。津波古、新里、小谷の三村は、絵図郷村帳の島添大里間切の村名に、つはの古村、下里村、おこく村とみえるので、一七一三年以前に大里間切から佐敷間切に移管されていたことになる。下里が新里と表記された。事々抜書（一七四二～一七六四）に佐敷以外に與那嶺と佐敷が併記されているることから與那嶺はすでに佐敷に編入されていたかもしれない。

◉明治以降の佐敷

明治三十四（一九〇一）年まで村名と村の数は同じであった。しかし、明治三十六（一九〇三）年の土地整理事業の終了に伴って、与那嶺村が佐敷村に、平田村の一部が手登根村に、外間村が屋比久村に編入され、さらに手登根村、平田村、屋比久村の各一部をもって仲伊保村を新設し、佐敷村、平田村、屋比久村の各一部をもって冨祖崎村を新設した（角川日本地名大辞典47沖縄県）。結局、佐敷間切は佐敷村、津波古村、新里村、手登根村、屋比久村、小谷村、仲伊保村、冨祖崎村の八村となった。伊原は大正十二（一九二三）年に屋比久から行政区として（佐敷村誌）、兼久は昭和三（一九二八）年に字佐敷から行政区として分離した（『角川日本地名大辞典47沖縄県』）。外間村は昭和二十三（一九四八）年六月に屋比久村から行政区として分離した（佐敷村誌）。明治四十一（一九〇八）年の「沖縄県及島嶼町村制の施行によって、これまでの間切が村（そん）、村（むら）が字（あざ）に変更さ

○○○○○
佐敷の琉歌

なゆるむねやりば　尚巴志王とぅ行逢てぃ
三山ぬ治み　話聞かな（作・謝花建松氏）
上グスク登て　涼風にあたて　尚巴志が姿
見ちゃる心地（作・親川孝雄氏）
（南城市琉歌募集事業作品一覧より）

れた。平成二十五(二〇一三)年四月一日「字つきしろ」として行政区が誕生した。現在、新開を含めて十三字から成っている。

佐敷上グスク

仲伊保（なかいほ）（ナケーフ）

佐敷地区の仲伊保（ナケーフ）の位置

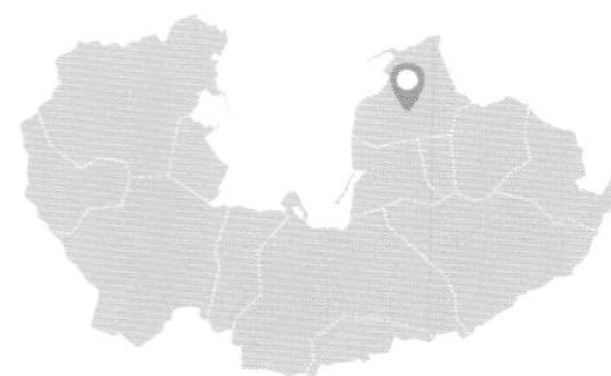

地名の由来

仲伊保は方言でナケーフと呼ばれていて、ナカイフの転訛である。ナカイフは泥や砂礫が堆積した沖積層のことである。泥だけから成る堆積土壌ではなく砂礫も混じっているため、半ら（なから）イフである。このナカライフがナカイフとなり、仲伊保と漢字表記された。地質地名である。方言ナケーフは、ナカイフのカイフが、日本古語カイナ（腕）がケーナに訛るように、ケーフに訛って、ナケーフとなったものである。

地域のはじまり

仲伊保は伝承では屋比久から移住したのが始まりと言われているが、明治三十六（一九〇三）年に手登根村、平田村、屋比久村の各一部をもって成立した（『佐敷村誌』、『角川日本地名大辞典47 沖縄県』）。仲伊保には「ティーチバナー石」と呼ばれる岩石がある。ティーチバナーは「ティーチバナリ（一つ離れ石）の意で、岩の下には多数の人骨があったという。伝説では六〇〇年前に知名之比屋が佐敷小按司に敗れた時のものと言われる（『第一尚氏関連写真集』）。小按司は中山を討つ前に中山系の知名ヌ比屋と戦ったかもしれないが、人骨というのは王国時代の餓死

ティーチバナー（一つ離れ岩）

者や病死者のものではなかっただろうか。

仲伊保には、馬天港の中央で地引き網漁を行う組合の一つである仲伊保組があった。明治末期から昭和十年頃まで地引き網が盛んであったという（冨祖崎　冨祖崎地区学習等供用施設落成記念誌）。

仲伊保には「ナカジャヒーやスクチナムンヤサ」と手振り足振りの節回しがある狂言の「ナカジャヒー」があり、山田保盛氏の得意中の得意であったという。また、宮城竹茂氏は「仲伊保の皆さんにも奮起してもらい、是非先輩達が受け継いでこられた地域の芸能を掘りおこして欲しいと願ってやまない」と述懐なされていたといい、仲伊保の伝統芸能として復活して欲しいものである。

昭和五十一（一九七六）年の佐敷村文化まつりでは、「伊野波節」、古典舞踊「柳」、「加那ヨー天川」を上演している（『佐敷村文化財要覧』）。

仲伊保には集落の守り神を祀る場所としてフンシ（風水）がある。

ナカジャヒー（『よりやげの金杜』より）

NANJO CITY SASHIKI AREA

仲伊保の琉歌

嘉利吉（カリユシ）の（ヌ）浜の（はまヌ）　近海（イノウ）うみの幸に（ヌ）
仲伊保海人（ナケフウミンチュ）の（ヌ）　大漁祝い

（作・嶺井雄八氏、『詠歌集』佐敷文化協会琉歌愛好会より）

柳（『佐敷村文化財要覧』より）

伊野波節（『佐敷村文化財要覧』より）

フンシ

冨祖崎（ふそざき）（フシザチ）

佐敷地区の冨祖崎（フシザチ）の位置

地名の由来

冨祖崎の方音フシザチはフィシザチ（干瀬先）のことで、干潮時に現れるサンゴ礁の礁原（干瀬）の先端のこと。冨祖崎より佐敷側の湾入部には河口があり、塩分濃度の低下でサンゴ礁が発達せず、冨祖崎が知念地区字久原側からのサンゴ礁礁原（干瀬）の先端をなしていて、そこでサンゴ礁の発達が止まっていることを意味する。冨祖崎の漢字表記でその原義の干瀬先がみえなくなったが、それが地名になった。礁原地名である。

おもろにも地名の本義あり

フンシ

「おもろさうし」の、うらおそいのおやのろが節の一つ（巻十九―一二九五（巻二十二―一五三二））に、「さしきよりやげのもりに……」がある。この「もり」がこの神歌の原注では「干瀬崎の事也」となっていて（仲原善忠・外間守善編『校本おもろさうし』）、この「干瀬崎」の所在は未詳とある（『角川日本地名大辞典』）。この「干瀬崎」は冨祖崎側の馬天浜のことであろう。琉球名勝地誌（田山花袋編）では、平田村干崎となっているが、この干崎は干瀬崎の誤記であろう。

地引き網漁もさかん

明治三十六（一九〇三）年の土地整理事業の終了に伴って、屋比久村、平田村、佐敷村の各一部をもって成立したのが冨祖崎村である（『佐敷村誌』『角川日本地名大辞典47 沖縄県』）。

明治末期から昭和十（一九三五）年頃まで地引き網漁もさかんであった。地引き網漁を行う組合が四つあって、毎日一回馬天浜の中央に網を張り、兼久の白浜の方に二十人位の海人たちが網をしぼりながら引き上げた。栄えた漁業も、太平洋戦争で、昭和十七（一九四二）年に全面禁止になったという（『冨祖崎　冨祖崎地区学習等供用施設落成記念誌』）。『冨祖崎には集落の守り神を祀る場所としてフンシがある。

馬山川（『佐敷村文化財要覧』より）

ダイサナジャー（『よりやげの金杜』より）

戦前塩田があって全戸数の三十四パーセントが製塩に従事していた。塩田は埋められ公園となった。

毎年クリスマスの時季になると、公民館とその広場を彩るイルミネーションが点灯して、にぎわいを見せている。

青年会最初のエイサー（落成記念誌より）

冨祖崎の歌

冨祖崎浜辺に立つ煙　民のかまどか塩がまか

（本山万吉氏作詞の数え歌、『佐敷村誌』より）

冨祖崎（フシザチ）の（ヌ）浜の　トントンミーやす（シ）が

いき（チ）やす（シ）暮らしやべ（ビ）が　埋（ミ）めて後（アトゥ）や

（作・真栄城勇氏、『詠歌集』佐敷文化協会琉歌愛好会より）

公民館前のイルミネーション（平成 23 年）

外間（フカマ）

ほかま

佐敷地区の外間（フカマ）の位置

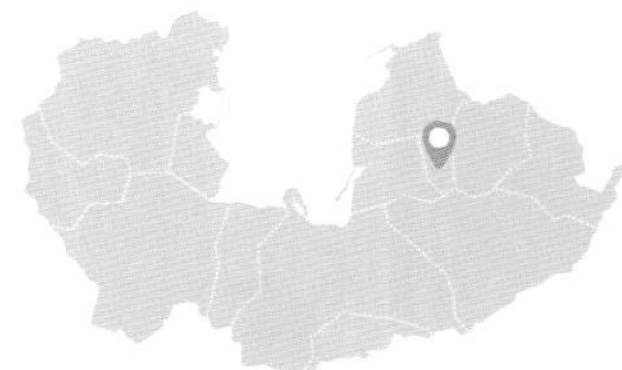

地名の由来

外間は外（表）に面した場所（処）または「よその処」のことで、恐らく屋比久側から見てのことであろう。琉球国惣絵図と『佐敷町史二　民俗』の民俗地図をみると、まさに外間古シマは屋比久村の外の南側にあった。この古島から現集落地に移ったことになる。外間は屋比久側からみた人事地名である。

綱引き行事

『南島風土記』（東恩納寛惇著）に、外間を新立したとある。琉球国由来記（一七一三年）に外間村があり、十八世紀初頭にはすでに成立していたことになる。十八世紀後半に作成されたとみられる琉球国惣絵図にも外間村がみえる。明治三十六（一九〇三）年に外間を屋比久に合併している（『南島風土記』）。合併後も祭事は合併前同様に屋比久と外間では全く別々に行われていた。昭和二十三（一九四八）年六月に行政区として屋比久から分離した（『佐敷村誌』）。

旧暦六月二十五日に綱引きが行われる。六時頃からスネーイ（行列）が始まり、東は雄綱、

弥勒踊り道ズネー

西は雌綱で綱引きが行われた（佐敷町史二　民俗）。近年は区民による綱引きが行われ、綱引き前後に男女別々のガーエーが演じられる。男性は締太鼓とどらを、女性は臼太鼓を鳴らして気勢を上げ互いを鼓舞する。藁の入手が困難となり、四十年ほど前から藁綱の代わりにロープ綱が使用されている（琉球新報　平成二十八年八月十九日）。

旧七月十六日のヌーバレーの日の夜、弥勒がミルクユガフーを願う「弥勒踊り」があり、弥勒を先頭にして集落の要所を練り歩く道ズネーが行われる。先ず、ジョウ（玉城家）の前庭でガーエー（威勢づけ）が行われる。その後弥勒を先頭にジョウからスタートして集落の石シーサーのある要所で弥勒がガーエー隊に呼応して踊る。さらに道ズネーをしてシム（平田家）の角で踊り、シムに入り前庭で弥勒が踊りを奉納したあと、神屋に弥勒をお迎えして、全員で豊作・無病息災を祈願する。その後弥勒を先頭にして通ってきた要所でもう一度踊りを奉納しながらジョウに帰ると、そこでまたガーエーと弥勒踊りが行われた後にこの伝統行事を終える。カシチーの日に豊作祈願の道ズネーがある。

カシチー道ズネー

石シーサー

弥勒踊り

玉城家でのガーエー

屋比久（ヤビク）

佐敷地区の屋比久（ヤビク）の位置

地名の由来

屋比久は「おもろさうし」に「やびく」とある。

民俗地図には屋比久古シマが二ヶ所ある。屋比久は、やまびこ（山傍処）のこと、すなわち須久名山の傍らの処という意味で、古の屋比久村は須久名山の傍らにあった。ヤマビコ→ヤマビク→ヤビクと転訛し、屋比久と表記された。集落発祥地の屋比久古シマは民俗地図でも山の傍ら（ふもと）にある。位置地名である。

屋比久をめぐる古い言い伝え

琉球国由来記に「ソコニヤ嶽　西方は屋比久村の拝所　東方は知念間切知名村の拝所なり」とある。須久名嶽の東側に知名村、西側に屋比久村があった。

球陽に、尚穆王二十九（一七八〇）年四月二十一日、屋比久村を川麻志原に遷すことを准（ゆる）す、とあり、次のように書かれている。「屋比久村はしばしば不幸の患いに遭う。人口が減少して甚だ衰微に及ぶ。今、村地は肥えて畑地は瘠せているので収穫が少ない。ただ川麻志原だけは土地が瘠せて堅く農業には良くない。もしその地に移したならば即ち風水（フンシー、土地の吉凶評価法）は吉で水を汲み野に行くのに都合がよい。言うまでもなくま

カマンティー（『佐敷村文化財要覧』より）

ティンベー（『佐敷村文化財要覧』より）

た雨が降る時、村中の泥水が流れて田んぼに入り多くはためになる。各役及び村民皆その地に移すことを請う。故にその請いを許す」とある。二四〇年位前の屋比久古シマは民俗地図をみると、国道下側の古島原にあり（『佐敷町史二　民俗』、『沖縄県歴史の道調査報告書Ⅳ』）、そこから川麻志原に移ったことになる。川麻志原は沖縄各間切村原名（明治三十六年）と沖縄県市町村別大字・小字名集（昭和五十一年）にも見当たらず、屋比久原のかつての別称であろう。

屋比久のまつり

旧暦七月十七日のヌーバレーの日に、雄獅子が歌に合わせて舞う獅子舞が行われた。古くはエイサーや臼太鼓も行われ、ティンベーやカマンティーも披露された（佐敷町史二　民俗）。島尻郡誌によれば、旧暦七月十六日、八月九日、八月十五日に獅子を舞わすとある。屋比久の獅子は雄獅子だったという（佐敷町史　二　民俗）。

土帝君（トゥティークン）

屋比久ガニク（馬場）は一七〇〇年代につくられ、幅員約十八メートル、長さ約三〇〇メートルの素晴らしい馬場で、競馬（ジーバイ）が最後に行われたの

○○○○○ 屋比久の琉歌

庭（ヌ）の老松（ウィマチ）や　宿納森（スクナムイ）こ（ク）さて　朝夕ながめ（ミ）てとて　百気（ムムチ）の（ヌ）ば（ブ）しゃ
（作・仲村幸信氏、『詠歌集』佐敷文化協会琉歌愛好会より）

スクナ森陰　遠き日の夢　今（ナマ）や松風の（マチカジヌ）　音も（ン）無（ネ）いらぬ
（作・西田恒夫氏、同）

は昭和七（一九三二）年頃であったという（昭和五十年度　佐敷村文化財要覧）。屋比久ガニクには聞得大君加那志の御新下りの時に仮屋が設けられていた。

　昭和二（一九二七）年には大きな村アシビがあり、三日間の予定が五日間も行われた。「かぎやで風」、「舞方」、「ティンベー、カマンティー」、「谷茶前」、「稲摺節」、「嘉手久」、「湊くり節」、「金細工」、「ままうや狂言」、「唐学問」、「ダンヌムン、組棒」、「長者の大主」、「ウヤンマー」、「伏山敵討」などが演じられた（『佐敷町史二　民俗』）。

綱引きガーエー（『よりやげの金杜』より）

屋比久ガニク跡

○○○○○ 屋比久の数え歌

東にそびゆるすくな山　ふもとは屋比久の村ぞかし

（本山万吉氏作詞。『佐敷村誌』より）

伊原（イバラ）

いばら

佐敷地区の伊原（イバラ）の位置

地名の由来

伊原はかつてイフントゥ屋取とも言われ、旧知念村久手堅の屋取であった。

イフントゥは「いほ（イフ）の（ヌ）たう（坦）」のことで、チナマタガーラとセクガーラ（琉球國惣絵図）から流れてきて堆積した土壌の平坦地のことである。伊原はイホ（フ）バラのホ（フ）が脱落してイバラ（伊原）になった。地質地名である。

旧知念村久手堅の屋取から、明治四十一（一九〇八）年に旧佐敷村屋比久に、そして手登根の底川屋取が旧知念村に編入された。伊原は大正十二（一九二三）年に屋比久から分離した(佐敷村誌)。

底川は「谷川」の義

チナマタガーラのチナマタは知名谷のことで、この谷の切り通しがワイトゥイであったが、今はその形跡もない。セクは、「さんそる節」が「せんする節」に転訛する（『沖縄古語大辞典』）ように、サク（谷、谷間）の訛ったものと考えられる。セクガーラは谷川を意味する（仲宗根政善著『琉球語の美しさ』、『沖縄語辞典』）。「せもし」が「すまし（澄まし）」に訛る（『沖縄古語大辞典』）ように、セクガーラのセクガーがスクガーになり、底川と表記されているが、本来は谷川の義である。

伊原のワイトゥイ（『佐敷村文化財要覧』より）

伊原のアシビ

昭和三（一九二八）年の御大典（天皇の即位祝）の時、旧佐敷村では各字が出し物を準備して大アシビをした。伊原はついでに字でもアシビをした。出し物は組踊「ハンザ山」のマルムンとか「高平良の敵討」のほかに踊りが出された。「ハンザ山」のマルムンはこの字の芸能の一つの特色でもあるという。ハンザ山のマルムンは「手水の縁」のマルムンとも言い、台本にはマルムンはないが、佐敷、知念、玉城の地域にはこのマルムンが伝えられている。指導に当たった旧知念村の宇良呈助氏の祖父と山口地頭とが明治十年代に合作したものだと言われている（佐敷町史 二 民俗）。

伊原の棒（『よりやげの金杜』より）

棒術（『佐敷村文化財要覧』より）

伊原の琉歌

昔(ンカシ)イフントゥ　知念(ニン)から佐敷(シチ)　変(ワ)はて九十年　今(ナマ)や伊原

（作・真栄城勇氏）

（『詠歌集』 佐敷文化協会琉歌愛好会より）

手登根（てどこん）

（ティリクン、ティディクン）

NANJO CITY SASHIKI AREA

佐敷地区の手登根（ティリクン）の位置

地名の由来

佐敷村誌に「手登根は、尚巴志王が佐敷小按司として佐敷上城に居を構えていた頃から首里城で天下に号令をするまで、直領地の中でも重要な地位を占めていた。手登根は、配下の居所の中心を意味する、手里根（てりこん、方音ティリクン）の当て字で、それが地名となって手登根と表記されたと思われる。人事地名である。

フッチャー石

尚巴志王が小按司の頃から手登根を根拠地としてその配下が居住し、手登根が直領地の中でも重要な地位にあったことが史料に示唆されている。小按司の配下にある軍隊の指揮・管理・訓練を任されていたのが手登根大屋子（手登根大比屋）だったと思われる。

手登根大比屋が中国から持ち帰ったと言われるフッチャー石があり、その近くに「てどこん殿」がある。この殿のあるところが手登根大比屋（尚巴志の弟）の屋敷跡と言われ、井戸の跡もある。この「おもろさうし（巻一四―三六）」は「堀川小堀（フッチャーグムイ）のオモロ」とも言われ、当時の船溜りが前原にある堀川小堀跡であるという（島尻郡誌、湧上元雄著　沖縄民俗文化論　祭祀・信仰・御嶽）。フッチャー石のフッチャーは堀川の義

〇〇〇〇〇 手登根の琉歌

佐敷手登根の　お送の月に　念仏囃　若衆揃て

（作・いなみ悦氏）

東方（アガリカタ）兄君方（ヤチメ）　アカバンタ寄（ユ）らて　昔毛遊（ソカシモウアシ）び　今（ナマ）に咲（サ）かさ

（作・照屋京子氏）

（『詠歌集』　佐敷文化協会琉歌愛好会、第7、8回琉歌募集事業作品一覧）

である（玉城地区の堀川を参照）。

「三山統一の影の人物として、軍糧と武具の補給という重大任務を担当した人として、手登根の大屋子を考えることも充分に可能である」とある（稲村賢敷著『沖縄の古代部落マキョの研究』）。

古式エイサーとウシデーク

古式エイサーは「遊び念仏」ともいわれ、戦前は旧暦七月十七日のヌーバレーの日に「ヌーバレー遊ビ」としてエイサーが行われた。

ウシデークは大正八（一九一九）年頃までは演じられていたが、その後は途絶えていた。戦後老婦たちの指導によって再現し、昭和五十（一九七五）年度の佐敷村文化まつりで演じられたという（『佐敷町史二　民俗』）。

舞方棒
（『よりやげの金杜』より）

手登根の舞方棒は独特で武の力を誇示する意味も持っていたようで、知念間切の知念村から習ってきたという。その棒は何人かを経て宮城鷹夫氏へと継承されている。歌詞は津波古と同じで、鋭い前突きと操り方、棒の廻し方に特色があるという。「かぎやで風」の曲に合わせて演ずる（『よりやげの金杜』）。

「昔名に立ちゃる　毛遊び　ア
ぬハンタ　佐敷手登根ぬ

組踊「阿波根」（『よりやげの金杜』より）

ウシデーク（『よりやげの金杜』より）

カバンタやしが」と唄われる民謡「あかばんた」は、同字出身でジャーナリストの宮城鷹夫氏が作詞したもので、平成二（一九九〇）年第一回ROK新唄大賞で大賞に選ばれた曲である。その「あかばんた」が二十四年ぶりの復活祭で、民謡歌手の上原正吉さんが唄って祭りを盛り上げたという（琉球新報　平成二十七年十月二日）。復活を大いに歓迎したいものである。明治時代末期から途絶えていた「毛遊び」がアカバンタで約一〇〇年ぶりに復活したという（沖縄タイムス　平成二十八年九月二十二日、琉球新報　平成二十八年十月三日）。

土帝君

手登根の土帝君は農作物の神（または五穀の神）と野國総官を祭っているという。土帝君は石造りの古い形を残していて、旧暦二月一日には土帝君祭りが行われ、歌、三線を弾きならして遊んだという（佐敷町史二　民俗）。土帝君は緯度二六度一〇分一六秒、経度一二七度四八分六秒に位置し、昭和五十八（一九八三）年三月七日に指定され、現在市の有形民俗文化財である。

土帝君

ノロ殿内庭での古式エイサー

手登根殿庭での古式エイサー

佐敷（さしき）（サシチ）

佐敷地区の佐敷（サシチ）の位置

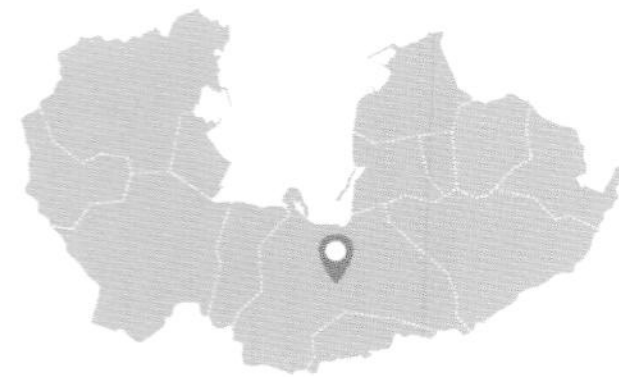

地名の由来

佐敷という地名は、歴史的事実に基づいた名称であり、統一王朝を開いた按司（尚巴志王）生誕の地を意味して「さしち」と呼称されたと思われる。佐敷という名称は、浦添に国を治める所という歴史的意味があるのと似ていて、歴史地名である。城治（さしち）が佐敷と表記され、原意がみえなくなった（『なんじょう文化』第４号　南城市文化協会連合会）。

地名の背景にある三山統一

佐敷は第一尚氏王統発祥の地である。尚巴志は応永十三（一四〇六）年中山王、応永二十三（一四一六）年北山王、永享一（一四二九）年南山王を攻め滅ぼして三山を統一したとされているが、三山統一過程やその達成時期にはなお疑義があるとも言われている。とにかく沖縄島の統一王朝を初めて開いたのは佐敷按司であった。

統一王朝を開いたということは、三山の城を攻め滅ぼし、三山を統一したことを意味する。このような歴史的事実に因んで、佐敷の方音「さしち」を、「さし」＋「ち」に分けて考えると、「さしち」は日本古語の「さし（城）（古代朝鮮語）」＋「ち（治）」となる。城を治めたことを意味し、三山の城を統一したことになるはずである。

肥後の八代・葦北にわたって勢力を振るっていた名和氏の支流が、葦北の佐敷から渡琉して、ヤマトバンタにたどり着き、葦北の佐敷に因んでその地を佐敷と呼称したとされている（『折口信夫全集』第十六巻）が、肥後の佐敷と結びつけるのは少し無理かもしれないと言われている（谷川健一著『甦る海上の道・日本と琉球』）。佐敷は「狭いスキ」または「小さいスキ」（スキは朝鮮古語で村のこと）ということで、これはその地勢からもそう考えられるという（『伊波普猷全集』第一巻）。また佐敷は傾斜地を意味するとの考えもある（『地名を歩く』南島地名研究センター編著）。海中にある板干瀬の干瀬は板敷（イチャジキ、イチャジチ）とも言われ、佐敷もイチャジキの義であるという（宮城真治著『沖縄地名考』）。

佐敷の村遊びとあやぐ

御嶽などの神々に五穀豊穣を感謝し、豊年を祈願する行事の際に、アシビ庭（ナー）、アシャギ庭、殿などと呼ばれる神前の広場で演じられる奉納芸能を「村遊び」と言い、「村芝居」とか「八月アシビ」とも言われた（『同町史二 民俗』）。

「あやぐ」は宮古の歌謡で、祖先神を謳う「あやぐ」と民衆の生活を謳う「あやぐ」がある。さ

あやぐ（『よりやげの金杜』より）

佐敷の琉歌

宮城風水氏の琉歌

佐敷杜（サシチムイ）ぐすく　わした村（イ）誇り　按司（アジ）の（ヌ）首里上（ヌブ）て　国やまろむ

佐敷（サシチ）同村（ドウ）に　旗頭（ガシラ）立てて　村々の（ヌ）栄（サケ）え　中に込（クミ）て

しきの「あやぐ」は民衆の生活を謳うあやぐであるといい、昭和五（一九三〇）年頃から始まったとされている。「佐敷のあやぐ踊」は隊列変化の妙技や足首を絡めた演技に特色があり、海洋博や町文化祭で高い評価を受けたという。昭和五十（一九七五）年と五十一（一九七六）年の佐敷村文化まつりでそれぞれ「あやぐ」、「なぎなた」と「高平良万歳」、「ミルク節」を上演している（よりやげの金杜）。

網曳きガーエー（『よりやげの金杜』より）

高平良万歳
（『佐敷村文化財要覧』より）

ミルク節（『佐敷村文化財要覧』より）

佐敷の琉歌

佐敷上城（サシチウイグシク）　掘（フイ）り起（ウク）こち見（ミリ）れば　昔石積（ンカシジヌ）みの　しるし出（ン）ぢて
（作・真栄城勇氏）

知性知恵や　佐敷村立てて　尚巴志ぬ功績　代々に誇ら
（作・儀間安子氏）

（『詠歌集』 佐敷文化協会琉歌愛好会、第10回琉歌募集事業作品一覧より）

土帝君

佐敷の土帝君は野国総官を祀っていて、旧暦二月二日に土帝君祭りが行われる（『佐敷町史二　民俗』）。土帝君は石造りで、戦前は石像が祀られていたようであるが、戦後無くなって現在は香炉のみが置かれている。さらに旧暦八月の初戌の日にも土帝君を拝んでいる（『公民館建設記念誌　ふるさと佐敷のあゆみ』）。香炉には大正十（一九二一）年奉納と書かれている。土帝君は緯度二六度八分五七秒、経度一二七度四七分二八秒に位置する。

土帝君への祈願

つきしろ

NANJO CITY SASHIKI AREA

佐敷地区のつきしろの位置

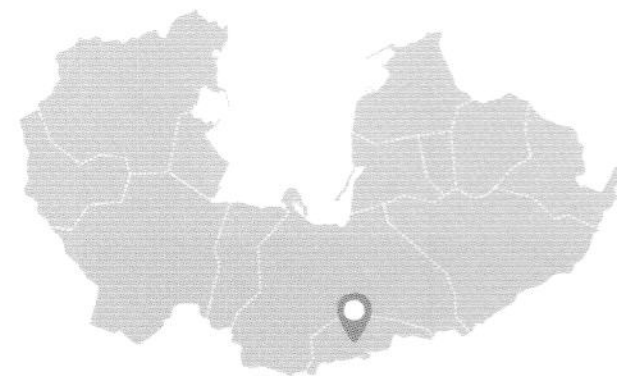

地名の由来

つきしろ（月代）とは苗代大親（尚思紹王、第一尚氏初代王）の庭に祀られていた霊石（第一尚氏の守護神）の名である（佐敷町文化財Ⅳ　第一尚氏関連写真集）。昭和五十四（一九七九）年四月につきしろ行政区として誕生したが、つきしろの街は三町村の字佐敷、字志喜屋、字垣花の三つの字が混在して住所表示が複雑であった。字界を統合して、つきしろは平成二十五（二〇一三）年四月一日に「南城市字つきしろ」として行政区が誕生した。これまでは行政上字佐敷に属していた。

つきしろのイルミネーションには月が輝いている。

つきしろ　芸術のむら

つきしろ自治会はこれまでの「健康のまち・花が咲き誇るまち」づくりに加えて「芸術のむら」という新たな「まち」づくりを推進するため、平成二十九（二〇一七）年に第一回つきしろ芸術展覧会「秋の文化祭」が開催された。自治会長の新城辰夫氏がつきしろを「芸術のむら」として文化の発信地にしようという熱意にとても感動させられた。また、絵画の実演では参観者が注視する目前で、みるみるうちに手早くすばらしい絵画を画きあげる才能に一同は目を見張った。

第二回つきしろ文化展が平成三十一年（二〇一九）一月十九～二十日に開催され、

絵画実演中の樋口正勝氏

今回はつきしろ自治会員の作品を中心に展示を行った。八月には納涼夏まつりがある。令和元年には子供エイサー、保育園児による遊戯、空手演武、三線演奏、盆踊り、太極拳、フラダンス、合気道演武、エイサー、古武道演武、バラエティー歌謡ショーなどが披露され、カチャーシーで夏まつりを締めくくった。

展示の一部

盆踊り

太極拳 32 式剣

公民館横のイルミネーション（平成 23 年）

県道 86 号沿いの花壇

2 丁鎌

兼久（かねく）（カニク）

佐敷地区の兼久（カニク）の位置

地名の由来

旧知念村字知名ではカニクと言わずに砂地（シナヂ）と言っている。砂地を意味するカニクであれば、具志堅敏行氏が指摘するように、カニクは「蟹のいる場所」であろう（『古代琉球語の旅』）。カニクはカニコ（蟹処）（蟹のいる場所）の転訛である。この蟹はスナガニ類で、砂地に生息することから、カニクは砂地を意味する地質地名である。昔は浜のことをカニクと言うこともあったという（『地名を歩く』）。

カニクは「砂地」の意

兼久は字佐敷の屋取であったが、昭和の始め頃字佐敷から分離独立して（『佐敷村誌』）、同三（一九二八）年に行政区名となった（『角川地名大辞典47　沖縄県』）。兼久は方言でカニクと言い、砂地のこととされている。

兼久のマー石という岩があり、その周辺には石という石が一つもなく、唯一の巨岩であることから兼久のマー石と言われたという。この石は宅地造成で根本のくびれまで埋められてしまっている。このマー石（琉球石灰岩）は字佐敷地内にあるが、字兼久に近いために兼久のマー石と言われているという（昭和五十年度『佐敷村文化財要覧』）。この石は、

兼久のマー石

通い船（『佐敷村文化財要覧』より）

百姓節（『佐敷村文化財要覧』より）

仲伊保のティーチバナー石と同じく、かつての海岸線を示唆するものであろう。

兼久は佐敷のヤードゥイであったので祭り事や芸能は他地域から取り入れた。その一つに「百姓節」がある。昭和五十一（一九七六）年の「第三回佐敷村文化まつり」で「百姓節」が演じられた（『よりやげの金杜』）。同文化まつりで舞踊「通い船」を上演している（『佐敷村文化財要覧』）。

○○○○○ 兼久の琉歌

佐敷小按司（シチクアンジ）が　船繋（チナジ）ぎお（チ）きやる　兼久（カニク）まー石や　今（ナマ）に残（ヌク）て
（作・真栄城勇氏）

兼久（カニ）前の（ヌ）浜や　元姿（ムトゥシガタ）かは（ワ）て　思（イ）ひ出の（ヌ）中に　残るばかり（ビケイ）
（作・嶺井雄八氏）

（『詠歌集』佐敷文化協会琉歌愛好会より）

新里（シンザト）

しん ざと

佐敷地区の新里（シンザト）の位置

地名の由来

大昔は仲尾、それからシムザト、さらに尚巴志時代に新里という地名になったと言われている（『佐敷村誌』）。ところが、新里は絵図郷村帳（一六四九年）には下里とあり、このシムザトがシンザトに転訛して、琉球国由来記（一七一三年）には新里という地名表記に変わった。中尾（仲尾）村は新里の小字名合原にあった（『島尻郡誌』）。上方の名合原から浜に近い真謝原や運座原あたり（通称古屋敷跡）に移り住むようになった。そこでその一帯を「下里」と呼んでいたといい（『字誌新里』）、位置地名である。

鮫川大主による村立て

蔡温の土地政策で部落をウンジャ原から上方の傾斜地に移動させたという（『佐敷村誌』）。

また、新里は、尚思紹王の父、鮫川大主が村立てをしたと言われている。鮫川大主居住跡の場天嶽、投網などの網を干した所の網干しモー（網干毛）、鮫川大主の墓などが知られている。

綱引きと納涼祭

綱引きは年中行事として行われたのではなく、旱魃が続いた時の旧暦六月二十六日（アミシの日）に東西に分かれ、ウマイーで行われた。新里が綱引きをすると山崩れが起るとの因縁話がある。古老の話によると、明治二十（一八八七）年に綱引きしている最中に豪雨があり澤川山が落盤した。昭和三十四（一九五九）年六月に四十八年ぶりに綱引きをしたところ、その年の十月のシャーロット台風による集中豪雨で大きな地滑りが起り、桃原ヤードイは人が住めなくなった。それ以後新里では綱引きは行われていない（『字誌新里』）。

八月には自治会納涼祭がある。

昭和八（一九三三）年に新里青年団が佐敷村の運動会で初めて「汗水節」を踊り評判になった。この創作舞踊「汗水節」は字出身の西村正五郎氏が民謡「汗水節」に振り付けしたものであるという。この振付七十五周年を記念した石碑の除幕式と祝賀会が平成二十（二〇〇八）年十一月二十三日に行われている（『なんじょう文化第7号』南城市文化協会連合会）。

長者の大主（『佐敷村文化財要覧』より）

新里の琉歌

宮城風水氏の琉歌

清（ティ）か照り冴える　仲尾原（ナコウバル）やてど　今（ナマ）の（ヌ）村里の（ヌ）　栄え美（チュ）らしゃ

新里の（ヌ）坂の（ヌ）　踏石の（ヌ）しじさ　隔め（ヒザミ）てや居（ヲ）ても　越（クヰ）えて語ら

あやぐ（『佐敷村文化財要覧』より）

汗水節之碑（八重瀬町具志頭）

新里の琉歌

新里（ヌヒラ）の坂に　よどで眺（ミリ）めれば　辛（チラ）さうち忘（ワシ）る　村（ヌチュ）の美らさ

（作・嶺井雄八氏）

（『詠歌集』 佐敷文化協会琉歌愛好会より）

納涼祭

土帝君

公民館横の振付記念碑

津波古（つはこ）

（ツファニク、チュファニク）

佐敷地区の津波古（ツハコ）の位置

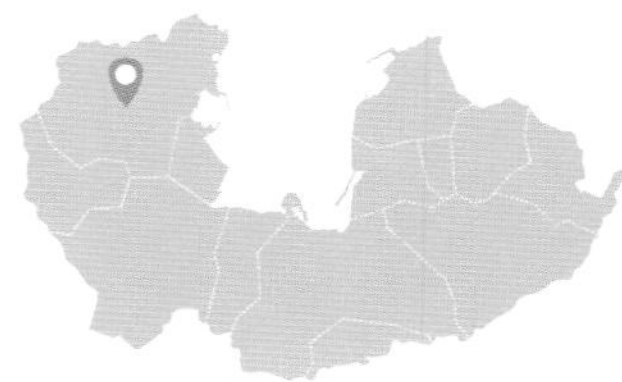

地名の由来

津波古はツファニクまたはチュファニクと称され、喜屋武久子（チャンクシー）の「チャンク」から「ツハンク」に変化したのであろうか。チャンク（喜屋武久）→チファヌク→チファク（津波古）と変化して現在の字名につながっているのではないかと思われる（『第一尚氏関連写真集』『津波古字誌』）とある。またツファヌク（『沖縄語辞典』）とも言い「津端の処（つはのこ）」、すなわち、「港の縁の処」という意味で、馬天港のへりの所を意味する地名である。津波古は「津端処」の当て字であろう。位置地名である。

バックナービルの地

「シキ」が「スク」に音韻変化するように（仲松弥秀著『うるまの島の古層』）、「ク」が「キ」に変化するなら、ツファニクはツファニキに訛るので、津端側となり、港の縁近くの所を意味する。ニキ（ネキ、日本古語）は側（そば）という地名語源である（鏡味完二・鏡味明克著『地名の語源』）。

昭和二十三年に行政区を馬天と呼称するようになったが、同四十五年に元の字名「津波古」に戻した（津波古字誌）。

戦後は、津波古、小谷、新里の一部が米軍の住宅用地として使用され、バックナービルと呼ばれていた（『佐敷村誌』、『津波古字誌』）。この住宅区域への入り口に当たる琉球銀行前の交差点が「バックナー入口」

津波古の琉歌

大正時代に作られた琉歌

小谷・新里や　ちんし割い所
我島津波古や　車とおばる

（『南城市史　総合版　通史』より）

と呼ばれていたために、津波古バス停はかつて「バクナー入口」と呼称されていた。

津波古の村アシビ

津波古の村アシビはヌーバレーの日に行われたが、毎年ではなかった。字で事業をやった時や竃をつくった時などには、その祝いとして大きな村アシビがあった。演目として、組踊「森川の子（花売の縁）」、「高平良」、「八重瀬敵討」、「国吉の比屋」、狂言「マンパー狂言」、「キーヒチ狂言（国頭サバクイ）」、「アミウチ狂言」、「トゥックイ小」、寸劇「アマンチュー」、「小鳥ヂチトラジューペーチン」、踊り「シヌビ（ナカフウ、シュックェー）」、「ナガラター（カラヤー節、ションガネー、ナガラター）」は女踊りで、三人で踊る（『佐敷町史二民俗』）。

大正の初め頃の竃の祝いで、組踊「森川の子（花売の縁）」、「八重瀬敵討」、「国吉の比屋」、「高平良の万歳」、狂言「マンパー狂言」、「キーヒチ狂言（国頭サバクイ）」、「アミウチ狂言」、「サキヌミ狂言（トゥックイ小）」、劇「天人」、「小鳥ジチトラジューペーチン」、踊「忍び（仲風、述懐）」、「ナカラター（カラヤー節、ションガネー節、ナカラタ節）」、棒術、獅子舞などが演じられた。昭和三（一九二八）年の御大典記念では、大正の初め頃の出し物に、歌劇「伊江島ハンドー小」、「泊阿嘉」を加えた（津波古字誌）。

ヌーバレーの獅子舞（『よりやげの金杜』より）

津波古のアマンチュー

アマンチューは津波古に残っている芸能で、祝いの時などに行われる村アシビで上演された。この芸能は現在も行われており、戦前は津波古外で演ずると「病（や）まされる」といわれ、他村では演じられなかったという（『佐敷町史二 民俗』）。この寸劇は、ウシに畑を鋤かしている福人の大主の前にアマンチュー（天人）が現われ、大主は五穀の種子を賜り、さらに「長者の大主」の位を授けられて、子や孫とともに一家の繁栄を祈るというものである。上津波古原はアマンチューが天降りした地といわれ、多和田ガー近くの石にその足跡があり、アマンチューの仮装神はその伝説に因むという（湧上元雄著『沖縄民俗文化論 祭祀・信仰・御嶽』）。

ムンチャニを恵むアマンチュー（『よりやげの金杜』より）

津波古のメーカタ棒

津波古には三種類のメーカタ棒があったと言われているが、現在棒保存会が演舞する舞方棒は当山専業氏が玉城間切前川の謝名小のウスメ―から習ったものであるという。歌詞は「出じみしょり舞方　わんや歌さびら　二才がする舞方　みぶしゃばかい」で、「かぎやで風」の曲に合わせて演舞する（『よりやげの金杜』）。

NANJO CITY SASHIKI AREA

四人棒

○○○○○

津波古の琉歌

アガリ　リ　ツファニ ク ヌ ンナトゥ フニ ヌ　チュ
東明かがれば　津波古の港　船の出ぢ入りに　まさてきよらさ

（作・嶺井雄八氏）

シ ナジキ　イクサユ ヌ　グ　ナマ　ンカシ
バクナバス停や　誰がす名付けたが　戦世の名残り　今や昔

（作・仲村幸信氏）

（『詠歌集』佐敷文化協会琉歌愛好会より）

五人棒

唐帝君

舞方棒（『よりやげの金杜』より）

津波古まつり（婦人の演舞）

馬天（ばてん）（バティン）

佐敷地区の馬天（バティン）の位置

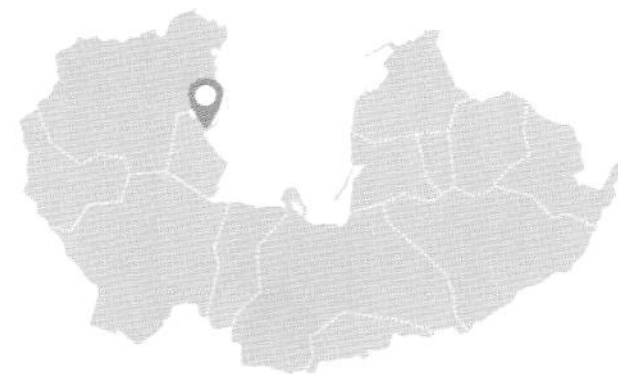

地名の由来

仲伊保から津波古に至る湾入が場天港で、その海浜を場天浜と称する（『南島風土記』）。仲伊保から津波古に至る湾入部は馬蹄形（U字型）をしており、馬天という名称はバテイ（馬蹄）→バテンに訛ったと考えられ、湾の形に由来した地名で形象地名である。場天とも書かれたりしているが、形象地名からすると馬天（馬蹄）であろう。

馬天ハーリー

場天浜は「おもろさうし」にも謡われ、王府祭祀と関わりのある浜であった。馬天港は山原船の避難所にもなっていたという（『島尻郡誌』）。

馬天ハーリーは旧暦五月四日頃の日曜日に開催され、昭和六十一（一九八六）年に復活した。平成十八（二〇〇六）年までは佐敷ハーリーと呼称していたが、現在は馬天バーリーと称している。平成二十八（二〇一六）年のハーリーでは仲伊保と伊原のチームが初参加し、海のない伊原であるが、伊原Bチームが意外と速く、見事な競漕を果たした。決勝戦の結果は海のない小谷チームが男女とも優勝したという（琉球新報　平成二十八年六月十九日）。

馬天の琉歌

馬天浜出て（パマンジ）　小舟凪ままに（クブニトウリ）
神の足跡の（ヌ ヒサアトゥ ヌ）　久高着ちやさ（チ）
（作・宮城風水氏）

競漕情景（手前：伊原Ｂチーム）

○○○○○ 馬天の琉歌

馬天嶽登(ダキヌブ)て　と並み島見れ(リ)ば　昔佐銘川(サミカー)の(ヌ)　思ひ(ウムイ)残(ヌク)て（作・宮城風水氏）

昔(ンカシ)物語り(ムヌガタイ)　浜端の(ヌ)宿や　今(ナマ)に聞き(チチ)とめ(トミ)て　袖(スデ)の(ヌ)涙（作・宮城風水氏）

馬天前の港　黄金橋かけて　夢に見る里と　渡て見欲しゃ（作・瀬底利子氏）

（『詠歌集』佐敷文化協会琉歌愛好会より）

小谷（おこく）（ウクク）

佐敷地区の小谷（ウクク）の位置

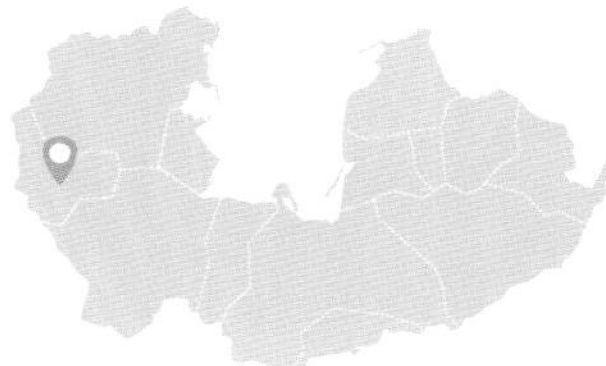

地名の由来

小谷は小籠処（おここ）（方音ウクク）のことで、小さな竹かご所を意味する地名である。すなわち、小谷は竹かご生産地に由来する地名で、産地地名である。小籠処（おここ）の処（こ）を「ク」としまくとぅばで呼ばれていたため、おこく（小谷）と表記された。昔から竹細工の有名な村として、かつて県下に名をとどろかせていたことがわかる。

小谷の石畳道

小谷には石畳道の一箇所が市の有形文化財として残されており、集落が斜面にあるため、石畳は道の土砂止めとして活用されていたという（佐敷村文化財要覧）。石畳道は昭和五十五（一九八〇）年三月十九日に指定され、現在史の有形民俗文化財である。

石畳道

竹竿持ちヌーバレーと綱引き

町史によると、ヌーバレーの日に十五歳以下の男子が竹を持って「エイサー　エイサー」とはやしたてて、集落内を練り歩き、大人は三線を弾きながらその後からついて行く。各家庭をすべて回り終えるとムラヤーでの「遊び」があった。この行事は竹竿持ちヌーバレーと呼称されているが、エイサーとも別称されている。村アシビは旧暦七月十七日（ヌーバレーの日）に、毎年ではなく、三年に一回ぐらい行われたという。演目には組踊「雪払い」、狂言、踊りなどがあった。アシビナーは小谷ウマウィーだった（『佐敷町史二　民

ざる製作中の知念正吉氏

小谷の歌

やめてはならぬ竹細工　小谷を興さんつとむべし（作・本山万吉氏）（『佐敷村誌』より）

お万人（ウマンチュ）の（ヌ）為（タミ）の（ヌ）　小谷（ウクク）竹細工（ダキゼエーク）　忘りれるな恩義（ウンジ）　幾代までも（ン）

昔（ンカシ）なつかし（チ）やる（ヌ）　玉の（ヌ）石道や　恋し（クイ）中道に　残る（ヌク）遺産

（作・嶺井雄八氏）

俗』）。

旧暦六月十六日、十五歳以下の子供たちによって、新米綱と呼ばれる綱で、集落内を流れる川を境に東西に分かれて綱引きをした。この綱引きでは鉦、太鼓は用いられなかった（『佐敷町史二　民俗』）。

綱引きは東（雌綱）と西（雄綱）に分かれて行われるが、その前に西は唐帝君の前で旗燈籠をかかげてガーエーを奉納してから会場の農村広場（ンマイー（馬場跡））へ向う。東は公民館の前から広場へ向かって、そこで西と東が旗燈籠をかかげてガーエーを行うと、回りのガーエー隊も呼応してガーエー

綱引き

唐帝君前ガーエー

〇〇〇〇〇 小谷の琉歌

世々（ユユ）に寂（リ）れゆる　竹垣（ダチ）どやす（シ）が　小谷（ウクク）村里（ムラサトゥ）に　技（ワザ）や残（ヌク）て
（作・宮城風水氏）

竹山（ダキヤマ）ぬ小谷（ウクク）　肝込（チムク）みた業（ワジャ）や　竹細工（ダキジェエク）出来（ディキ）てぃ　心嬉（ククルウリ）さ
（作・謝花建松氏）

を行い、綱引きへの士気を高めた。その後に綱寄せを行ってカヌチ棒の差し込みと同時に綱を引き合った。

クリスマスのイルミネーションで有名

毎年クリスマスシーズンになると、鮮やかなイルミネーションが点灯され、大勢の見物客で賑わいをみせる。

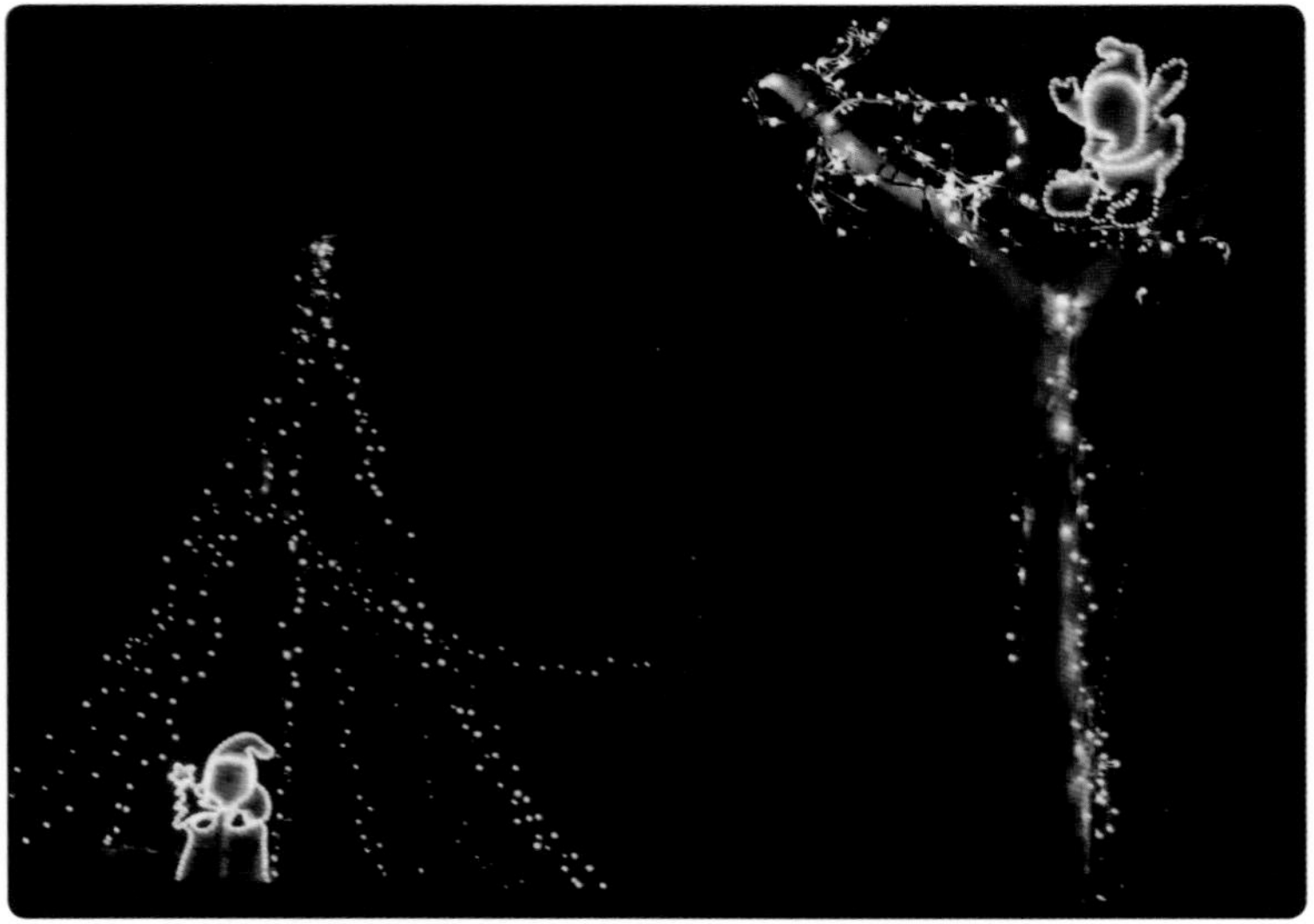

小谷の琉歌

小谷坂道の　ネオン花美らさ　まじゅん眺めれば　増しゅる愛（カナ）さ
（作・當山清勝氏）

（『詠歌集』 佐敷文化協会琉歌愛好会、第 11 回琉歌募集事業作品一覧より）

小谷イルミネーション（平成 23 年）

南城に伝わる年中行事

南城市内には昔から「ヌーバレーアシビ」と言われる年中行事があり、それはウークイの翌日の旧暦七月十七日に行われていた。戦後、地域によって旧盆行事が一日短縮されたために戦後は十六日に行われるようになった。ヌーバレーという呼称は今のところどうも南城市内に限られているようである。

ヌーバレーの日には、各地で「村アシビ」とか「村芝居」と呼ばれたりする「五穀豊穣芸能」や「獅子舞」が行われる。ここでいう「バレー」は日本古語の「晴れ（非日常）」に当たると思われる。「晴れ」の反意語は「褻（け）（日常、ふだん）」である。祭りがある時は非日常である。沖縄語辞典によると、アシビは芝居・祭りなど、仕事を休んで行う演芸・娯楽であるという。すなわち、ヌーバレーは非日常の旧盆に行う演芸・娯楽であり、盆芸能の一つである。なお、ヌーは野のことで、澪ではない。澪のない大里にもヌーバレーがある。

南城市

知覚地図

見聞記

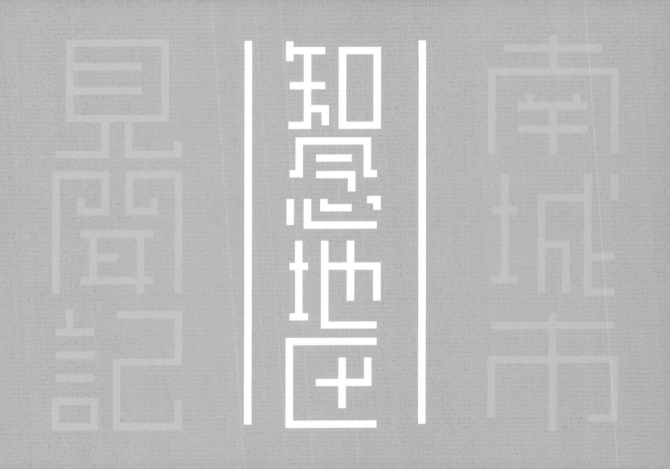

知念地区

（旧知念村）

知念地区の位置

旧知念村村章（1966年1月制定）
2006年1月1日廃止

◉琉球王国時代の知念

絵図郷村帳（一六四九年）に知念間切の村名として、志きや村、中里村、知念村、くてけん村、知名村、久高島、はちみ嶺村、山口村、あざま村、なかたう村（当時無之）、はたま村（当時無之）、さうす村（当時無之）がみえる。三村が「当時これなし」とあるが、当時とは当時用候表（一七三六年）段階であることが指摘されており（田名真之著『南島地名考』）、このうち三村は一七三六年以前に合併され、「はたま村」は知念村の一部（東恩納寛惇著『南島風土記』）、現在のヒラナカ部落（「知念の大綱曳き」参照）に、「さうす村」と「なかたう村」は久手堅村の一部になった（知念村文化協会誌『斎場の杜』第六号）。「なかたう村」は斎場御嶽

知念の琉歌

誰がす仕立てたが　石御門の細さ
知念玉グスク　島のたから（作・前原武光氏）

古城新城　重にたる時間ぬ
平和世の願げ　今世に残ち（作・富永尚信氏）

南側の長堂原に、「さうす村」は吉富原近くのサウジ原にあった。

琉球国由来記（一七一三年）に、下敷屋（下志喜屋）村、久高村、外間村が出ており、一六五〇～一七一三年の間に新設されたと考えられる。「前城村」は当時用候表（一七三六年）に新村として出ており、乾隆二年帳（一七三七年）と事々抜書（一七四二～一七六四年）及び明治二年帳にも「前城村」がみえる。

◉明治以降の知念

しかし明治十三（一八八〇）年沖縄県統計概表には前城村は見えず、事々抜書に前城と下志喜屋が併記されていることから、『角川地名大辞典』にあるように下志喜屋村に合併されたらしい。事々抜書には具志堅村があって、久手堅村が見えないのは恐らく誤記であろう。一六六八年に封建的規制による「中」の字の禁止令（『南島地名考』）で、中里村が仲里村に改められた。

琉球名勝地誌（一九〇一年）には、知念村、久手堅村、志喜屋村、安座間（真）村、鉢嶺村、山口村、知名村、下志喜屋村、仲里村、久高村、外間村がみえる。

明治三十六（一九〇三）年に山口・仲里・鉢嶺の三村を合併して山里村とし、下志喜屋を志喜屋村に、外間を久高村に合併する（東恩納寛惇著『南島風土記』『角川日本地名大辞典47沖縄県』）。明治四十一（一九〇八）年の「沖縄県及島嶼町村制」の施行によって、これまでの間切が村（そん）、村（むら）が字（あざ）に変更された。

○○○○○ 知念の琉歌

知念森グシク　神降りぬグシク
神謡ぬオモロ　世世に誇ら（作・儀間安子氏）
知念古城　霊力崇さあむぬ
御万人の福世　咲かちたぼり（作・仲宗根正則氏）
（『南城市琉歌募集事業作品一覧』より）

旧知念村のヌーバレーは大正の頃まで全盛をきわめたが、昭和三（一九二八）年の御大典の村一円の競演を最後に行われなくなったという（『知念村の年中行事』 知念村教育委員会）が、知名では昭和四年にもウフアシビを行っており、知名・安座真・久手堅では現在もヌーバレーが行われている。

知念城跡

知名（ちな）（チナ）

知念地区の知名（チナ）の位置

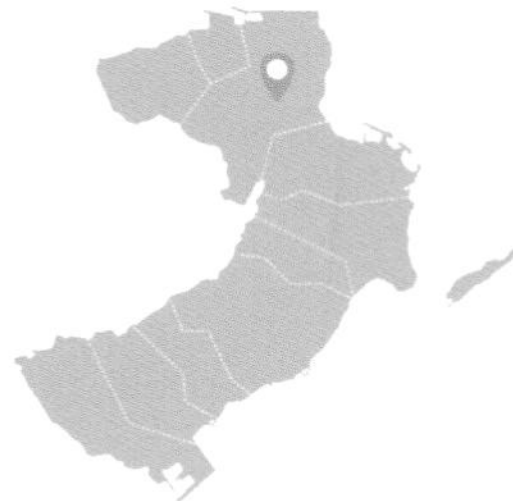

地名の由来

知名の地名は開墾地を意味し、文字は異なるが読谷村の喜名と同一の語で、キナは山畑の義であるという説（宮城真治著『沖縄地名考』）も存在するが、いにしえの識名村に由来する。

須久名森と知名の関係

須久名森はかつて南部唯一の高い山（一九〇・一メートル）で（『角川日本地名大辞典』47 沖縄県』）、古文書に須久名は「そこにやだけ」「ソコニヤ嶽」「底仁屋嶽」などと表記されてきた。ソコニヤの「ソコ」は聖地を意味する「そこ（底）・しき（磯城）に由来すると思われる。「シキ」は方音「スク」に音韻変化することや同義であることが知られている（仲松弥秀著『うるまの島の古層』）。ソコニヤの「ソコ」が方音「スク」、「ニヤ」が「ナ」に訛って、ソコニヤから「スクナ」となり、須久名と漢字表記されたと思われる。

須久名森は、現在は一四八・八メートル。高くそびえてうっそうとした森ゆえに神聖視され、神の宿

ノロ殿内火の神前での奉納芸能開始前（長者と地方（じかた））

る聖地とみなされ、また沖合を航行する船の陸標にもなったと思われる。グスクのスク（シク）は日本古語のしき（磯城・城）やそこ（塞・底）、すなわち聖地や聖所を意味すると言われている。

「そこにやだけみたけ」は聞得大君が御新下りの時に参詣されており（『混効験集』坤）、斎場御嶽同様に聖地であったと思われる。ソコニヤ嶽は王権祭祀が斎場御嶽へ移る前の斎場であったとも考えられている（湧上元雄著『沖縄民俗文化論　祭祀・信仰・御嶽』）。

「しちにや」から「ちな」へ

須久名原は古（いにしえ）の識名村の跡で、蘇姑那・底仁屋ともに識名のことと言われている（東恩納寛惇著『南島風土記』）。この識名の名称も聖地を意味する磯城に由来すると考えられる。シキナは「聖なる地」を意味し、ナは土地の義であり（鏡味完二・鏡味明克著『地名の語源』）、シチニヤ（シキナ）は聖地地名である。須久名原にはアジナー（領主の地）という土地名があり、その付近に古の識名村があったと思われる。

須久名森を腰当森として発生した識名（村）は「しちにや」→「ちにや」→「ちな」と変化した。「おもろさうし」では「ちにや」と謡われ、十七世紀前半には「知名」と漢字表記されている（絵図郷村帳）。

『南城市史　総合版（通史）』（P357）に「敷名は蘇姑那（スクナ）嶽の東麓にあった古い村であろう。村の消滅は蔡温一七三七（尚敬二五）年の焼畑禁止令以降のことであろうか」とある。これは敷名と識名の

知名の琉歌

古老懐かしむ　宿納森木立　昼なお暗し　今や無らん
（作・比嘉由照氏）

知名のハビル舞　前川村アヤグ　津波古天人　誇る芸能
（作・新里朝善氏）

混同によると考えられ（東恩納寛惇著『南島風土記』参照）、敷名は消滅したのではなく、敷名は志喜屋のことであり（徐葆光著　原田禹雄訳注『中山傳信録』）、この誤りは焼畑（きなわ）説に固執した結果であろう。

「才孤那（ソコナ）」と知名村の人々

中山傳信録に「洪武廿五（一三九二）年以前に、琉球国の才孤那ら二十八人は硫黄採掘に阿蘭埠へ行く時風にあって、恵州海豊に漂着してさ迷っているところ、巡査に捕まり言語が通じないために、倭人（日本人）と思われて京（南京）に送られ、貢使（琉球使節）が来てその事情を説明したところ、太祖（洪武帝）は皆を送り帰された」とあり、この才孤那は「ソコナ」という地名に由来する人名と言われ、識名村の人、すなわち知名村の人だったと思われる。

この識名村の村建てをしたのが、知名村の根所、与那嶺家（鄭氏）である。中国からの渡来者であったため、造船や航海技術を持ち、その技術を活かして硫黄採掘に行ったと考えられる。言葉が通じなかったというのは、その時までに、すでに何世代かを経ていたと思われる。馬天湾に注ぐ浜崎川があり、この川を下って馬天港まで行き、そこから硫黄採掘に出航したと考えられる。この二十八人の中には、須久名嶽を共同拝所としていた屋比久村の人たちも含まれていたと思われる。硫黄は重要な進貢品の一つであった。

須久名嶽は消失してしまったが、民俗地図（佐敷町史二　民俗）から二万五千分の一の地形図にプロット

知名の琉歌

知名ヌーバレーや　胡蝶の舞いロマン　綾羽（アヤハニ）ひらひら　花と遊ぶ（アシ）

（作・當山清勝氏）

（『第 8、10、11 回琉歌募集事業作品一覧』より）

して算出した結果、緯度二六度十一分三秒、経度一二七度四八分三八秒付近にあったと推測された。

人間国宝・照喜名氏のふるさと

知名区が誇る人間国宝の照喜名朝一師匠は毎年ヌーバレーアシビでボリュームあふれる美声で独唱なされて観衆を魅了し、照喜名進師範も地方（じかた）として毎年活躍されている。まさしく、地方（じかた）あっての芸能である。両氏とも若い頃に体験したヌーバレーアシビが三線演奏の原動力になったそうである。また、知名独特の芸能が招聘公演で披露されていることも知名伝統芸能の誇りである。

人間国宝照喜名朝一師匠の独唱

毎年ヌーバレーを開催して、知名区の伝統芸能文化を継承・発展させてきた功績が認められ、平成七（一九九五）年十一月八日に沖縄県文化協会から団体の部で表彰された（『沖縄県文化協会10周年記念誌』、『知念村文化協会誌　斎場の杜』第四・第五号合併号）。ヌーバレーは区民の一体感醸成に大きく寄与している。

ヌーバレー舞台全景（前原基男氏提供）

知名の綱引きとヌーバレー

綱引きは戦前年二回、旧暦五月と六月十五日のウマチー（お祭り）に行われていたが、五月の綱引きは大正十二（一九二三）年頃になくなり、六月の綱引きは昭和三（一九二八）年になくなった（『旗頭新調記念小誌　知念村字知名』）。

板馬でも旧暦五月四日にかつてハーリーが行われていたが、昭和六十（一九八五）年頃に途絶えてしまった。ヌーバレーは知名区民が一丸となって開催する一大イベントであり、知名区はヌーバレーという伝統文化を通じて、「豊年と平和を願い癒しと悠久の歴史を育むふるさとづくり」に取り組んでいることによって、平成十四（二〇〇二）年度に集落部門で「沖縄、ふるさと百選」に認定された。

仲里節

胡蝶の舞

松竹梅

海野（うみの）（ヌックヮサ）

知念地区の海野（ヌックヮサ）の位置

地名の由来

海野はヌックヮサ（野津加佐）と呼ばれ、知名の屋取（ヤードゥイ）であった。知名本字のヌヌクサー（原野（野）のうしろ側）がヌックヮサに訛ったものである。大正九（一九二〇）年に知名本字から独立して知名二区と呼称されたが、生計が半農半漁だったために昭和二十二（一九四七）年二月十七日に海野と改称された（『広報ちねん』九十五、知念村文化協会誌『斎場の杜』第三号）。

ヌックヮサのハーリー

ヌックヮサは戦前から漁業が盛んな集落で、毎年旧五月四日（ユッカヌヒー）にはハーリーが行われていたが、今はユッカヌヒーの後の日曜日に行うようになっている。爬竜船が催される所として知念村の知名二区（海野）が挙げられている（『島尻郡誌』）。海野のハーリーは明治三十七（一九〇四）年に始まったといわれ、令和元（二〇一九）年のハーリーで115回目という。毎年二十数チームが参加して競漕がくりひろげられるが、その前に御願バーリーが開始される。開始前に道ズネーが行われる。ハーリー同好

セリ風景

会もできたという。出店もあり、会場はにぎやかな雰囲気につつまれる。美しい倉岩石（くらじいし）とかつてあった大きな岩（ぬかぐじー）とともに漁業が盛んだった頃のようすを称えた歌「イシぬ　チュラサや　クラジ石　石ぬ　マギサや　ヌカグジー　クイフニ（刳り舟）　チリラン　ヌックヮサや……」が本節（むとぅぶし）にのせて唄われていたという。大きな岩（ヌカグジー）は戦後米軍の道路拡張工事で破壊された（『南城市知念文化協会誌　斎場の杜　第二十号』）。

漁協でのイベント

南城市知念漁業協同組合では毎月第三日曜日には朝九時から一般の人々も参加してのセリやマグロ解体ショーが行われている（平成二十七（二〇一五）年一月から）。一般人もセリや直売で魚介類が買えるとあって大変好評を博しており、菓子類、食品類、おもちゃ類、陶器類なども販売する出店もあり、にぎわいの中で買い物が楽しめる。

セリ市場での出店

海野の歌

むらがれる鮮魚のあきんど争ひて　値をつり上げる朝のせり市（作・儀間朝松氏）

出じたちゅる船にゆがふ風吹かち　銀（ナンジャ）・黄金（クガニ）ん寄（ユ）してたぼり（作・儀間安子氏）

かりゆしぬ歌に出じたちゅる船や　マクブにタマンでかちたぼり（作・儀間安子氏）

（『知念村文化協会誌　斎場の杜　第二号』より）

爬竜船競漕（宮城秀雄氏提供）

倉岩石（城間盛勝氏提供）

久原（くはら）（クシバル）

知念地区の久原（クシバル）の位置

地名の由来

クバマサ(久場真佐)とクシバル(後原)はヌックヮサとともに知名二区と呼ばれていたが、昭和十二（一九三七）年に知名二区から分離して知名三区となる。昭和二十二（一九四七）年二月十七日に久場真佐の「久」と後原の「原」を取って久原と改称された（『広報ちねん』九十五）。

ビロウの「クバ」、後ろの「クシ」

クバ（ビロウ）は古語でアヂマサ（味勝）とも言われ、心芽が美味なことに由来する（柳田国男集第一巻、天野鉄夫著　琉球列島植物方言集）。クバマサはビロウを意味するアヂマサのことであろう、クバマサにはかつてクバが生えていた。クシバルは知名本字からみてクシ（後側）の平らな所のことである。後原ではかつて製塩も行われていたが、大正初期には廃止されたという（『沖縄大百科事典』『角川日本地名大辞典47　沖縄県』）。

闘牛

久原闘牛場は南城市や糸満市の牛主が稽古のために現在も使用しており、かつて盛んだった「新春島尻闘牛大会」による地域活性化を考える座談会が開かれたという（沖縄タイムス　平成二十九年一月三十日）。戦前のウシナー（闘牛場）、ンマイー（馬場）はあちこちの集落で知られているが、戦後はほとんど闘牛が行われていない。南部唯一のイベントとして闘牛大会を是非復活させてもらいたいものである。

久原闘牛場は戦後の南部地域では唯一の闘牛場であった。牛主の伊集盛貞氏の伊集スーパー号は、平成十四（二〇〇二）年一月三日に行われた新春島尻闘牛大会で、体重差が五十キログラムもある兼本タッチューに十一分三十八秒で快勝した。この大会では伊集スーパー号が優勝し、また伊集大力が殊勲賞に輝いた。伊集スーパー号はこの大会を含めて十一勝二敗の戦績を残したという。

伊集盛先氏の飼育する伊集花形は徳之島からの移籍牛である。平成三十一年二月十日にうるま市石川多目的ドームで行われた準全島旧正月大闘牛大会でのシーの三番（指名特番）で、平成14・15年同志会赤蜂と対戦し、互いに厳しい突き割りの応酬となったが、五七秒で下して沖縄での初戦を飾ったという（『琉球新報』平成三十一（二〇一九）年二月六、十一日、『沖縄タイムス』二月十一日）。伊集花形は技能賞に輝いた。

伊集スーパー号と伊集盛貞氏（同氏提供）

安座真（あざま）（アザマ）

知念地区の安座真（アザマ）の位置

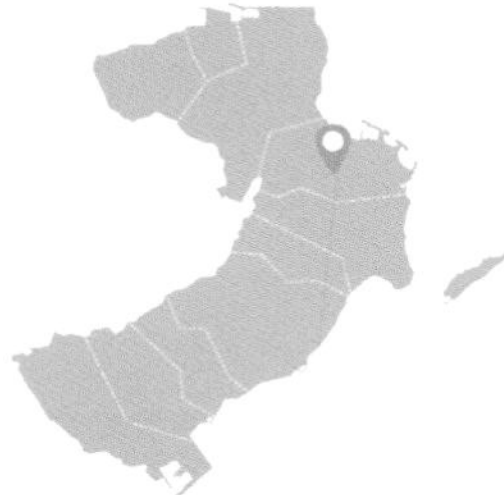

地名の由来

安座真は知念地区を西部と東部に分けるその境界にあり、東部のはじまりに位置している。アザマは古語のアヅマ（東）が訛ったもので、アヅマ→アヂマ→アザマと転訛した。すなわち、安座真は旧知念村の西部と東部の境界にあり、東部に位置する最初の集落という意味に由来していると思われる。位置地名である。

東西で異なる地勢

知念地区（旧知念村）は大きく、西部（イリー）・西方（イリーカタ）（久手堅～志喜屋）と東部（アガリ）・東方（アガリカタ）（安座真～久原）の二つの地域に分けて呼ばれる。西部と東部では地勢においてもかなり異なる。西部は琉球石灰岩が多く断崖地帯で、水資源も豊かであり、一方東部は島尻層の泥岩（クチャ）の上にわずかの石灰岩があるのみで、水資源に乏しい。

「交錯した場所」の意

『琉球国高究帳』（一六三五～一六四六年）に「あざま」の名称はみえないが、『絵図郷村帳』（一六四九年）に「あざま」がみえる。また、おもろさうし一九—三四には「あざま」がみえる。この十九巻は一六二三年に編集

サンサンジーの根元

されているので（『おもろさうし　日本思想大系』）、『琉球国高究帳』には「あざま」の名称はみえないが、「あざま」はすでに成立していたことがわかる。

沖縄地名と奄美地名の共通（同系）比較対照表（『南島の地名　第三集』）では、安座真はアザナウマ（交錯した場所）の意味と解されている。ちなみにアザマという方音は石垣市川平では三男を意味する。長男はフッチャー、二男はガッチャーという（『沖縄文化史辞典』）。

いさりランプを持つ独特の谷茶前も

安座真のヌーバレーは戦後の昭和二十六（一九五一）年に復活し、以来毎年行われている。道ズネーではミルク加那志が登場し、大ウチワを振り振りしながら、ユガフウをもたらすかけ声で歌三線が始まる。演目には「長者の大主」「谷茶前」「鳩間節」「浜千鳥」「四季口説」、歌劇「仲順ながり」、「組踊「忠臣護佐丸」などがある。安座真の谷茶前は「いさりランプ」を持って踊る点で独特であると同時に伝統的に実際の夫婦で踊り継がれてきたという（『知念村文化協会誌　斎場の杜　第八・九号合併号』）。

かつては爬竜船競漕も

爬竜船が催される所として知念村の安座真が挙げられている（『島尻郡誌』）。旧暦五月四日にかつてハーリーが行われていたが、平成初年度頃に途絶えて、港

○○○○○ 安座真の琉歌

安座真神アシャギ　節々（しちしち）ぬ御願（うぐわん）　ヌーバレー遊（あし）び　心合（くくるあわ）ち（作・いなみ悦氏）

安座真美童（みやらび）の　肝姿勝（ちむしがたまさ）て　若さ呼（ゆ）び戻（むど）す　人（ひとぅ）ん寄（ゆ）せて（作・新垣栄喜氏）

（『第８回琉歌募集事業作品一覧』より）

内をパレードするだけになっている。安座真の漁港近くにはサンサンジーという岩があり、旧暦五月四日の海神祭の時に拝まれる拝所の一つである。

旧六月二十四日のカシチーには、大正の中頃までは屋比久の綱曳が終ってから安座真の綱曳が行われたという（『佐敷村誌』）。

谷茶前（仲村権治氏提供）

ミルク神道ズネー（仲村権治氏提供）

長者の大主（仲村権治氏提供）

鳩間節

久手堅（くでけん）（クディキン）

知念地区の久手堅（クディキン）の位置

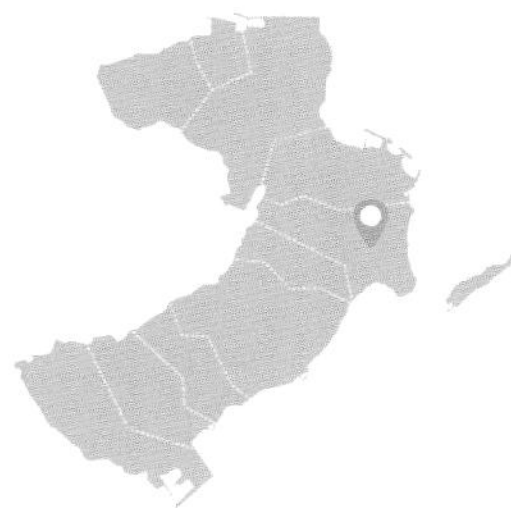

地名の由来

久手堅は方言ではクディキンで、『琉球国高究帳』（1635～1646年）には「くでけん村」、由来記には「久手堅村」と表記されている。クディは一族を代表する神官（神に仕える人）で、キンはチンやチミと同じで、首里や地方の王家筋の宗教をつかさどる神女である（『沖縄語辞典』）。久手堅の方音クディキンはクディ＋キンから成っていると考えられる。斎場御嶽をめぐる信仰上枢要な地の神職に基づいた地名であり、神職地名である。

ノロからついた地名

クディキンは神話の多い神の里と言われた（『角川日本地名大辞典』）。斎場御嶽（セーファウタキ）は久手堅ノロの崇べ所であり、久手堅ノロはまた當間之ヒヤ火神の祭祀も行う（琉球国由来記（一七一三年））。久手堅ノロはセーファノロとも言われている（『知念村史第一巻』『知念村の御嶽と殿と御願行事』）。

久手堅ノロは、王府祭祀の時には、斎場御嶽と當間之ヒヤ火神（當間殿）で祈願している（『琉球国由来記』）。このように、久手堅ノロはクディとキンの両方の役目を果たしている。久手堅という村名はノロ（神女）の役目に由来していると思われる。久手堅はまさに「神の里」である。

クディキンのキンは、もともと堅ではなく、キミ（君）（神女）の転のキンである。それゆえ、具志堅（グシチン）の方音チン「堅」とは語源そのものが異なる

歴代の聞得大君の神名は、御新下りの時に斎場御嶽で、久手堅ノロによって献られた。この久手堅ノロの聖職は古い前型で、場天ノロによって行われていたが、宮廷と関係の深い久手堅ノロの手に移ったとされている（『折口信夫全集

第十六巻』)。この神名はご本人と久手堅ノロ以外に知る者はいなかったと言われている(『伊波普猷選集　中巻』)。

また、久手堅は湫(くて)の義とも言われている(宮城真治著『沖縄地名考』)が、湫は沼や沢のような水草の生えた低い湿地である。クディキンのキンは石灰岩台地上の「ギザギザした野」(『地名を歩く』南島地名研究センター編著)とする考えがあるが、理解に苦しむ。

琉球最高の聖地

「セーファウタキ(斎場御嶽)」は琉球最高の聖地と言われ、平成十二(二〇〇〇)年十二月二日に「琉球王国のグスク及び関連遺産群」の一つとして世界遺産に登録された。観光資源として多くの観光客が訪れている。また三庫理(サングーイ)が平成二十八(二〇一六)年に発行された「南城市の郵便記念切手」の一つになった。

組踊「鏡の割」の復活

「久手堅郷土芸能保存会」は、昭和二十五(一九五〇)年から演じられなくなった組踊「鏡の割」を平成十八(二〇〇六)年の久手堅ヌーバレーで復活させ、継承している。その努力が高く評価されて、平成二十五(二〇一三)年に沖縄県文化協会から団体賞が授与された(『沖縄県文化協会賞受賞者一覧』南城市文化協会)。

平成二十八(二〇一六)年一月二十三日に東京・国立劇場で行われた民俗芸能公演では、組踊「鏡の割」の他に「棒術」、「鳩間節」、寸劇「魚小ちゃー」、「まみどーま」などの民踊も上演されたという。平成三十年度のヌーバレーでは「かぎやで風」、「ダンス」、「くてぃ節」、「フラメンコ」、「ギター演奏」、「チェロ演奏」、「前ぬ浜」、「フラ手話ダンス」、「戻り駕籠」、「マミドーマー」、「カマド体操」、組踊「鏡の割」などが演じられている。ヌーバレー行事での区民の熱意を強く実感した。

鏡の割

マミドーマー

チェロ演奏

歌劇「魚小ちゃー」

戻り駕籠

吉富（よしとみ）（フッチリ）

知念地区の吉富（フッチリ）の位置

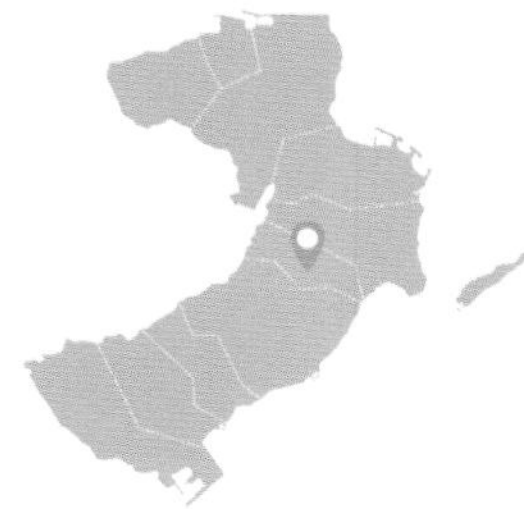

地名の由来

　フッチリ屋取（吉富）は斜面に立地し、よく霧がかかる所、霧の多い所で、フッチリはフッキリ（富霧）の訛ったものである。富貴利と漢字表記されている。気象地名である。久手堅から昭和十二（一九三七）年に分離して字富貴利となり、昭和二十二（一九四七）年二月十七日に吉富と改称された（『広報ちねん』九十五）。

宮里春行氏の「浜千鳥」

『焦土に咲いた花　戦争と沖縄芸能』（琉球新報社編著）によると、吉富出身で安富祖流絃声会初代会長をなさった宮里春行氏はシベリア抑留中に手作りのカンカラ三線で「浜千鳥」を歌って捕虜たちを慰めようとしたが、歌い出すと涙声になり歌えなくなった。そして演奏していると捕虜たちが集まり、ソ連兵もやってきて、ソ連兵と捕虜が入り交じって踊る姿を見て、宮里氏は「音楽に国境はない。平和の集いだ」と感じたという。

　さらに春行氏は卓越した指導力で岸本吉雄、大城助吉、照喜名朝一、西江喜春、金城武信、大城清之氏等の優秀な後継者を育て安富祖流隆盛の礎を築いたという。平成十四（二〇〇二）年に「宮里春行道翁之像」が建立されている（宮里春行銅像建立事業報告書）。銅像の台座に「歌の道学で　人の道悟て　世間御万人に　かなさされり」と春行氏の詠が記されている。

　昭和二十五（一九五〇）年前後にヌーバレーが公民館で行われ、その時に上演された演目には「双子物語」、「白銀堂の由来記」、「大新城親方」などがあった（永吉盛信氏ご教示）が、その他の外題ははっきりしない。

記念メダル

宮里春行道翁之像

知念（ちねん）（チニン）

知念地区の知念（チニン）の位置

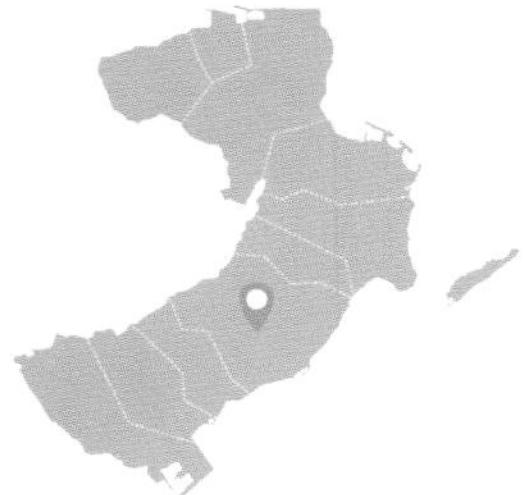

地名の由来

知念は方言でチニン、おもろさうしでは「ちへねん」、「ちゑねん」となっており、聞得大君を意味する「チヘチン」に由来する。

「焼畑地名」とも

耕作のはじまった地を意味するチーニーが転訛して地根→地念→知念と誤写されたという（饒平名浩太郎著『沖縄農民史』、『沖縄県史二十二　民俗1』）。

また沖縄地名と奄美地名の共通（同系）比較対照表（『南島の地名　第三集』）には、焼畑系地名とあり、さらに知念という地名は焼畑を意味する「きなわ」から生じたと考えられている（『南城市史総合版　通史』）。また、「ちゑねん」は「潰れた崖の麓の野」がその語源であるという（『南島の地名　第二集』）が、理解できない。

おもろにうたわれた知念

台地には知念城跡があり、おもろさうしでは「知念杜ぐすく」、「神降れ初めのぐすく」、「あまみきよが、宜立て初めのぐすく」などと謡われた神聖なグスクである。知念間切は、聞得大君の知行地で、斎場御嶽をはじめ、王府祭祀に関わった聖地が多い。

知念間切は聞得大君の領地であったことから、知念という名称は聞得大君を意味する、チヘ（聞え、聞得）＋チン（君）のチヘチン（名高い神女）が、「ちるや」が「にるや」の語形であるように（『沖縄古語大辞典』）、「ち」が「に」に転訛してチヘニンに、さらにおもろさうしの「ちへねん」となり、「ちへ」はチと発音するので（『伊波普猷選集　上巻』）方音チニン、そして「ちねん」になったと推察される。

「おもろさうし」の巻十四、十九では知念を「大きい國」の意で「大国（ぢやくに）」と美称している。この賛美からも知念という土地名を重要視したことが推測できる。知念という名称は知行主の聞得大君に因んだ地名と考えられ、神職地名である。なお、聞得大君はチフィジン・チヒシンとも言われている（『沖縄語辞典』『沖縄古語大辞典』）。聞得大君乗用の神馬は知念間切産の白馬に限られたという（鎌倉芳太郎「沖縄文化の遺宝」、『南城市知念文化協会誌　斎場の杜』第十八・十九号合併号参照）。

久手堅と知念という地名がノロの役目と聞得大君に由来する点で独特であり、久手堅と知念はまさに聖地で、王国時代の「神の里」を彷彿させる。

シマグヮーの意も

知念集落はかつてシマグヮーと呼ばれた今の字具志堅にあった。そこから広がっていったようであり（『角川日本地名大辞典』）、シマグヮーという名称がこのことを物語っている。シマは故郷、グヮーは愛称で、古の知念集落発祥地に想いを馳せて付けた呼び名である。知念集落（知念村（むら））の古い村名（むら）は具志堅だったとも言われている（『知念村史　第一巻』）。逆に、具志堅は知念の村分かれで、島小と呼ばれたのも、そのためと考えられている（田里友哲著『論集　沖縄の集落研究』『知念村史　第一巻』）が、そうではないはずである。

大川敵討の上演

かつて知念のヌーバレーアシビで上演された組踊「大川敵討」。伝統組踊保存会会長の眞境名正憲氏によると、かつて琉球国王の冊封で上演され、明治以降の全編上演はほとんどなかったという（琉球新報　平成三十一年三月十三日）。平成三十一（二〇一九）年三月二十九日に琉球新報ホールでその全編が上演された。大川敵討の全編を初めて見たが、地方（じかた）の味わいのある唄と立方のすばらしい演技に魅了されたと同時に最高傑作にふさわしい組踊であることを実感し、感動の一語に尽きる思いを強くした。

戦後の村芝居

戦後の昭和二十五（一九五〇）年に村芝居が三日間行われており（村芝居記念写真参照）、『南城市史総合版』（通史）（P２４９）では大綱引きとなっているが、間違いである。「長者の大主」「高平良万歳」「天川」「加那ヨー天川」「カマンティー」「さや棒」「わい棒」などが演じられたという（普天間正孝氏ご教示、仲里正徳氏ご協力）が、その他の外題ははっきりしない。

大綱曳き

大綱曳きは五年ごとに行われる。道ズネーはヒラナカ（東）がミーヤ（ノロ殿内）から、クベーマ（西）が親川（神屋）からスタートして会場に向かうが、ス

○○○○○

知念の琉歌

知念大川の　水鏡写とち　うぬ面の清らさ　誠でむな

（作・富永尚信氏）

（『第７回琉歌募集事業作品一覧』より）

タート前にそれぞれの所定の場所でガーエーを行う。会場の農村広場に到着すると東西とも棒術演舞があり、一種の鼓舞であろうが、棒の型が東西で異なる。東西のガーエーが綱曳きの前後に行われる。この大綱曳きが区民の一体感醸成に大きく寄与していることを実感した。

ヒラナカの支度綱には「村原の比屋・原国兄弟の松千代・金松」に、クベーマの支度綱には「谷茶の按司・石川の比屋・満名（満納）の子」に扮装した三人ずつが乗っている。支度は「大川敵討」の登場人物である。

大綱曳き

ヒラナカ（村原の比屋）

昭和 25 年の村芝居記念写真（糸数幸雄氏提供）

クベーマ（谷茶の按司）

具志堅（ぐしけん）（グシチン）

知念地区の具志堅（グシチン）の位置

地名の由来

　具志堅は方音でグシチンで、山ろくの端または縁を意味する地形地名であり、本部町のフルグシチン（古具志堅）も山ろくに位置している。具志堅はアイヌ的地名またはアイヌ語地名の可能性が高いと言われている（『伊波普猷全集　第一巻』、具志堅敏行著『琉球語は古代日本語のタイムカプセル』）が、そうではなく日本古語に由来する地形地名である。

六つの殿を持つ古い集落

　また、旧知念村の具志堅という地名は地内の具志堅殿・グシチンガーなどに因むとされている（『角川日本地名大辞典』）が、そうではなく本来の地形に基づいた地名である。（『南城市知念文化協会誌　斎場の杜』第十六号）

　具志堅は知念の一部であったが、昭和二十二（一九四七）年二月十七日に分離して字具志堅として独立した（『広報ちねん』九十五）。具志堅には六つの殿があり（『知念村の御嶽と御願』）、かなり古い集落である。具志堅は古く知念集落のあったところでシマグヮーと呼ばれ、古い知念村（むら）は当地から広がっていったらしいという（『角川日本地名大辞典』）。

国道沿いの樋川（ヒージャー）

集落シーサーとウコン

シーサーは具志堅の旧集落長堂のニシヤラク山にあり、集落入口の魔除けとして設置されたといい、昭和五十八（一九八三）年三月二十八日有形民俗文化財に指定された。緯度二六度九分三六秒、経度一二七度四八分三二秒に位置する。

また、集落後方の畑地の一角に「鬱金発祥之地」という石碑が平成十二（二〇〇〇）年三月に建立されている。ウコンは砂糖とともに琉球王国の専売商品であった。碑には「知念間切物耕作当、大城耕一氏（後の地頭代）はこの畑にうっちんを植え、その栽培普及に力を尽くしました」とある。大城耕一氏は大城幸一氏（内当小）のことであろう。明治二十五（一八九二）年から二十七年にかけて地頭代をなされていた（知念村史　第一巻）。ウコンは平安時代に中国から琉球へ伝わったと言われているので、ウコン発祥地ではなく、説明にあるように知念間切におけるウコン普及のための栽培発祥地であったと思われる。

具志堅のシーサー

石碑

山里（ヤマザトゥ）

やま　ざと

知念地区の山里（ヤマザトゥ）の位置

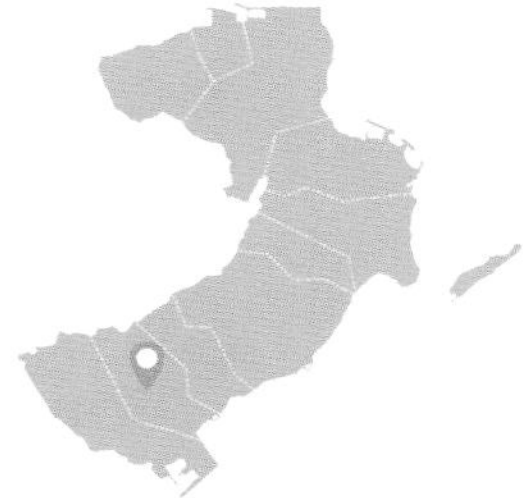

地名の由来

土地整理事業の終了（明治三十六（一九〇三）年）に伴って、それまでの山口村・仲里村・鉢嶺村が合併し、山口の山と仲里の里をとって山里となった。

山の入り口、中の里

山口は山への入り口に由来する土地名であるが、それが集落地名となった。

山口村には、山口ノロの崇べ所であったハキシ嶽があり（『琉球国由来記』）、今はハジシ嶽と呼称されている（『知念村の御嶽と殿と御願行事』）。ハキシはハキ（端）＋シ（岩）のことで、ハキがハジ（端）に転訛している。ハジシ嶽は琉球石灰岩台地の端岩（縁岩）にある嶽、すなわち断崖にある嶽という意味である。

仲里村（『琉球国高究帳』や『由来記』では中里村）は方言でナカントゥと言われ、「中ヌ里」のことである。山口村と鉢嶺村との間にある「中の里」という意味であり、知念間切の地頭代の名島であった（『知念村史　第一巻』）。

仲里の「手水の縁」

仲里では組踊「手水の縁（ハンジャヤマトゥー）」が、山口では「伏山敵討（天願の按司）」が演じられていた（『斎場の杜　知念村文化協会設立記念号・創刊号』、『知念村の年中行事』知念村教育委員会)。仲里の「手水の縁」は大正十四(一九二九)年頃までは毎年ヌーバレーで上演されていた。この「手水の縁」のマルムン(間の者)は知念の宇良呈助氏の祖父と山口地頭の我部山口親雲上保敦の合作だと言われ、知念・佐敷の「手水の縁」での独特なものとなっている(『知念村文化協会誌　斎場の杜　創刊号』)。

手水の縁(歌碑建立記念)

志喜屋（しきや）（シチャ）

知念地区の志喜屋（シチャ）の位置

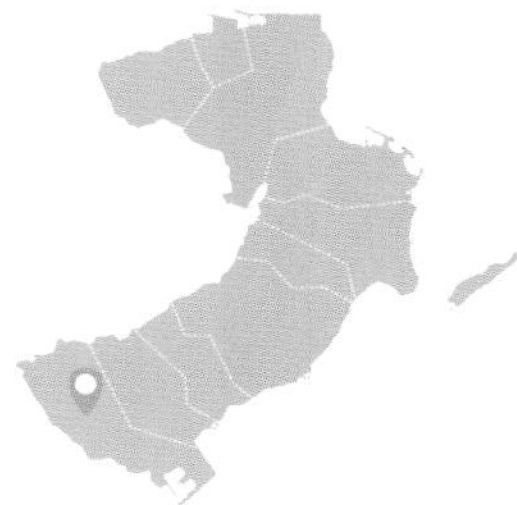

地名の由来

　志喜屋は方言でシチャ（下）と呼ばれる。下（した）の語形に「しちや」とあり（『沖縄古語大辞典』）、シチヤのチはキの方音で、シキヤとなる。『琉球国高究帳』（一六三五〜一六四六年、南島地名考参照）では志きや村と書かれ、今は志喜屋と表記されている。

　シチャ（下）は、本家と分家間の位置関係で、屋号にも使われている。カミ（上）シチャー→カンシチャ→カンチャと転訛するので、恐らくカンチャの先住家が垣花村の或る門中からの分家で、シチャは本家のシチャ（下）という意味であろう。志喜屋は位置地名である。

カミとシチャ

『琉球国由来記』に志喜屋村と下敷屋村、当時用候表（一七三六年）には志喜屋村と下志喜屋村となっている。下（シム）志喜屋村の親川門中、前門中、大前門中は仲村渠村の長桝家から分家してきた志喜屋子の子孫であり、下志喜屋村の根所は親川門中にある（島越憲三郎著『琉球古代社会の研究』）。下志喜屋村には根所火神（公民館前の殿）があり、志喜屋村にはフルマ根所（古間殿）がある（『琉球国由来記』、『知念村の御嶽と殿と御願行事』）。

　下志喜屋村の根所火神の祭祀は志喜屋ノロが行っていた（『琉球国由来記』）。二村以上を一管轄下にして公儀ノロが置かれる場合には、その村落間の歴史的関係や地理的距離が考慮されたようである（宮城栄昌著『沖縄のノロの研究』）。志喜屋の場合にも、二村を一管轄下に置いただけのことで、下志喜屋村はカンチャからの分かれ村ではない。

　仲村渠の長桝家から分家してきて、下志喜屋村が出来たために、志喜屋村をカンチャ（上志喜屋村）と呼んで区別するようにした。志喜屋は元来シチャ（下）

と呼称されていたため、両村を区別するのにウィー（上）シチャ（下）が使えず、身分などの上下を表すカミ（上）シム（下）を使用したと考えられる。明治三十六（一九〇三）年に両村が合併して志喜屋村となった。

「中山伝信録」にある敷名は、原田禹雄訳注本にあるように、志喜屋のことであり、『南城市史　総合版（通史）』（p357）では消滅したとあるが、須久名原にあった古の識名との混同によると思われる。古の識名は知名のことで（『南島風土記』）、消滅したのではない。

村アシビ

志喜屋には村アシビはあったが、ヌーバレーという呼称はないと言われる。組踊の「花売の縁」では特に猿引きと薪取りの演技は熟達を要したという（『斎場の杜』知念村文化協会設立記念号）。志喜屋新孝氏のご教示によると、その他に「本部大主」、「首里登り」があったという。ヌーバレーアシビという呼称は字知念同様にかつて志喜屋にもあったと思われるが、村の変遷で述べたように昭和三年の村一円（そん）の競演後にヌーバレーアシビが行われなくなったために村アシビと呼ばれるようになったのであろう。今は「敬老会・十五夜遊び」が行われている。

棒術

槍の手（ヤイぬティー、仲宗根正昭氏提供）

スーマチ棒

夜明け綱

六月ウマチーの綱引きはワラビ綱であり、カシチーの綱引きは大人綱で「夜明け綱」と言われ、綱引き終了後に「綱焼き」がある。子供綱引きは大人綱引きと同様にイーンダカリ（雄綱）とシチャンダカリ（雌綱）に分かれて行われるが、その前に子供たちによる棒術と子供たちや親たちによる円陣ガーエーで綱引きの士気を鼓舞して区民の一体感を醸成する雰囲気につつまれた。かわいい子供たちのためにもずっと継承してもらいたい。

組棒

子供エイサー

夜明けの綱焼き

空手演舞

知念高校

昭和二十（一九四五）年十一月十六日、知念高等学校が志喜屋区に創立され、同日に開校式が挙行された。志喜屋の原野に米軍払い下げのテント三張を教室にして開校し、創立には初代校長の世禮國男氏が尽力したという（琉球新報　平成二十八年九月十四日）。

その後、学舎は移転を続ける。玉城村百名に移転（同年十二月七日）、さらに玉城村親慶原区に移す（昭和二十一年四月一日）。そして昭和二十七（一九五二）年二月十七日に、与那原町の現敷地へ移転が完了する（『知念高等学校　創立五十周年記念誌』）。同高では、昭和三十一（一九五六）年二月二十二日定時制課程が設置されたが、同四十八（一九七三）年には廃止された（『島尻郡誌（続）』）。

志喜屋の琉歌

志喜屋浜アドゥチ　海鳥ぬ鳴きば　浜風や涼く　心地良たさ（作・謝花建松氏）

志喜屋村上志喜屋　大川ぬ流れ　山戸とぅ玉津ぬ　恋ゆ偲でぃ（作・謝花建松氏）

（『第８回琉歌募集事業作品一覧』より）

久高島（くだかじま）（クダカ）

知念地区の久高島（クダカ）の位置

地名の由来

久高島はクダの島の意味である（饒平名浩太郎著『沖縄農民史』、『沖縄県史二十二　民俗1』）。クダはコダのこと（『沖縄古語大辞典』）で、同一血縁団体で形成された島の意。「クダ＋カ」で、「カ」は場所を表す接尾語の「か（処）」である。クダカは同一血縁団体の場所（処）のことであるが、島であるために、このように久高島と呼称されるようになったのであろう。人事地名である。

イザイホー

島の秘祭で十二年ごとの午年に行われていたイザイホーは昭和五十三（一九七八）年を最後に後継者不足のために行われていない。その祭祀は旧暦の十一月十五日から五日間行われていた。第一日目の儀礼を島人はユクネーガミアシビ（夕神遊び）と言っている。第二日目の儀礼を朝神遊びという。第三日目を島人は花さし遊びという。第四日目の朝、神アサギの前の広場でアリクヤーの綱引という行事があり、これは綱引きではなく実は舟漕ぎの神事であり、午後はノロが各ナンチュ（三〇才から四一才までの女性）の家を廻るなどの行事があるという。第五日目はこの祭りの後始末、後宴の行事であるという（『沖縄文化史辞典』）。

○○○○○ 久高島の琉歌

お神島久高　夜明綾雲や　黄金華かめて　世果報お迎け
神神（カミガミ）ぬいめる　久高島照（ティラ）す
初太陽（ハチテダ）の輝り（ヒチャイ）　世果報招ち
（作・伊波興福氏）

円陣舞踊のグゥルイ

島にはグゥルイという円陣舞踊のウシデーク（臼太鼓）があり、婦人たちだけによって踊られる（比嘉康雄著『神々の古層①』、『沖縄文化史辞典』）。グゥルイとは、本島でいうウスデークと同じで、女たちの円舞であるという（神々の古層①）。久高島ウスデーク保存会が平成十二（二〇〇〇）年に沖縄県文化協会から団体賞を授与された（『沖縄県文化協会10周年記念誌』）。

漁獲物の分配

○○○○○ 久高島の琉歌

斎場嶽登て　久高島見れば　イザイホーぬ歌声　波にひびち（作・大城和子氏）

黄金色染まる（クガニイロス）　ハタス畑麦や（ハルムヂ）　んかし昔面影よ（ンカシウムカジ）　今に残ち（ナマヌク）（作・源河史都子氏）

ソーリーガナシ―交代儀式

ハティグヮティでのグゥルイ（女達の円舞）

○○○○○ 久高島の琉歌

イシキ浜着きやる　五穀壷拾て　育て広めたる　人の御恩

（作・源河史都子氏）

久高船路や　速や足に変わて　島ちゃびの思ひ　今や昔

（作・大城弘氏）

（『南城市第 7、8、10 回琉歌募集事業作品一覧』より）

「払う」と「ハレ」の区別

池宮正治氏によると（『首里城研究』No.7）、ハレは要するに「祭祀の時」のことであるという。バレーにはアブシバレーやナーバレーのように「払う」ことを意味するハレと「祭祀の時」を意味するハレとがありどちらも長音化してバレーとなったものであるが、区別すべきである。

つまりヌーバレーは「野におけるハレの遊び」、すなわち「野における祭祀の時の遊び」を意味し、ヌーバレーアシビは古くから豊作を祈願する「野神遊び」に由来すると思われる。旧暦七月に行うシヌグと同類のものであろう。

七月十六日はウークイのナーチャで「腰憩」（一般の休養日）、各農村ではエイサー（盆踊り）、臼太鼓・闘牛・角力・綱引き等が行われる（『伊波普猷全集』第九巻「琉球の年中行事」）ことから、「晴れの日」と考えられる。精霊（先祖）についてきた餓鬼や子孫のない亡霊の食物（ミンヌク）をウークイの日に門外に捨ててすでに送り帰しているので、ヌーバレーに無縁仏をあの世へ帰す意味はなく、それはバレーを誤って「払い」に解したことによる。

ハーレー、ハーリーが海の神への感謝と大漁祈願の「海神祭」であるのに対し、ヌーバレーは野の神への感謝と五穀豊穣の「野神祭」であり、海と野（陸）の神祭りの対比的呼称である（『南城市知念文化協会誌　斎場の杜』第十五号・二十号　平成十八・二十七年）。五穀豊穣と豊漁、無病息災を祈る国頭村安波区のシヌグ行事の中にヌー神・海の神が出てくる（『琉球新報』平成二十九年九月十日付）。竹富島にも類する例があり、これらが「野神祭」「海神祭」という対比的呼称を証している。

南城市

王城地区

見聞記

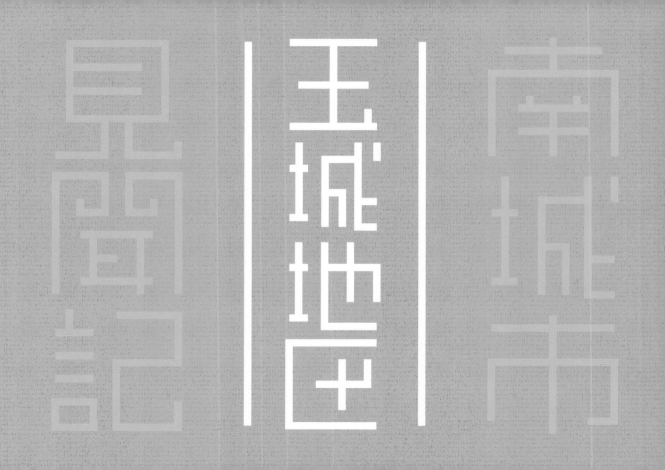

玉城地区

（旧玉城村）

玉城地区の位置

旧玉城村村章（1977年2月15日制定）
2006年1月1日廃止

◉玉城地区の村の変遷

絵図郷村帳（一六四九年）に玉城間切の村名として、めとろま村、大城村、いなふく村、舟越村、糸数村、當屋真村、玉城村、わな村、百那村、あふ島村、志けんばる村、中やま村、あだん口村（当時無之）、嶺村（当時無之）、下百名村（当時無之）がみえる。三村は「当時これなし」とあるが、当時とは当時用候表（一七三六年）段階であることが指摘されており（田名真之著『南島地名考』）、一七三六年以前に改称されたか廃村になっていたことになる。かつて受水走水の上の急坂にあった百名の集落発祥地ヒラクナ（宮城真治著『沖縄地名考』）が下百名村、その下百名村が上側の台地に移った後の集落を百那村と呼んでいたた

○○○○○ 玉城の琉歌

玉城グシク　剞い貫ちぇる御門
黄金太陽かみて　尊（うす）り所（作・儀間安子氏）

玉城城　石門走り揃て
冬至太陽拝で　勢い呉らな（作・新里朝善氏）

めに下百名村は廃村になっていたのであろう。嶺村は當屋真村に合併されて「当時無之」になっていたのであろう。一六四九年以後に百那（百名）村から村分かれした集落が中村渠と呼称されていたのであろう。

琉球国由来記（一七一三年）には、玉城村、百名村、垣花村、中村渠村、奥武村、富里村、志堅原村、糸数村、前川村、屋嘉部村、富名腰村、和名村、當山村がみえる。一七一三年以前に絵図郷村帳にあった、めとろま（目取真）村、大城村、いなふく（稲福）村が大里間切に移管された。舟越村が富名腰村、當屋真村が當山村、わな村が垣花村、百那村が百名村、あふ島村が奥武村、中やま村が仲栄真村となっている(当時用候表)。ところが、中山俊彦著の『玉城村富里誌』（一九九二年）によると、上百名が百那村で現在の仲村渠、下百名村が百名となっていて、南島風土記でも下百名を百名としている。また「あだん口村」は糸数のカンジャービラから屋嘉部へ抜ける古道沿いの傾斜地にあったが、交通不便のため、各地に分散して廃村になったという(玉城村富里誌)。富里誌と角川日本地名大辞典以外には小生の知るかぎり上百名という名称は見当たらず、地名大辞典は富里誌からの引用であろう。

一六六八年に封建的規制による「中」の字の禁止令によって、中村渠が仲村渠と表記された。乾隆二年帳（一七三七年）に、新村として登場した仲間村は嶺村の一部と富里の西村渠が合併してできたといい（『玉城村富里誌』）、明治二（一八六九）年帳にはみえるが、明治十三（一八八〇）年沖縄県統計概表（『沖縄県史』第二十巻）にはみえないので、その間に富里村

〇〇〇〇〇　玉城の琉歌

玉城グスク　太陽孵でぃるグスク　夏至の御門　黄金御門
（作・與那嶺順子氏）

あまみくぬ伝承（ながし）　玉城ぐすく　御門口ぬ美（かい）しゃ　他所にあらな
（作・幸喜徳雄氏）

玉城グスク御門と冬至太陽の輝き

に合併されたと考えられている。この事は「事々抜書」（一七四二〜一七六四年）に仲間と富里が併記されていることからもうかがえる。さらに「事々抜書」には識名村があり、また識名は前川の事として注記されている。

◉明治以降の玉城

明治三十四（一九〇一）年には、當山村、屋嘉部村、奥武村、富名腰村、垣花村、富里村、前川村、仲村渠村、仲栄真村、玉城村、糸数村、志堅原村、百名村の十三村から成っている（『琉球名勝地誌』）。

明治四十一（一九〇八）年の「沖縄県及島嶼町村制」の施行によって、これまでの間切が村（そん）、村（むら）が字（あざ）に変更された。

明治十二（一八七九）年の廃藩置県前後に、士族の田舎下りで屋取ができ、次第に人口も増えていった。大正九（一九二〇）年に垣花、仲村渠、富名腰、大正十一（一九二二）年に百名、大正十三（一九二四）年に玉城、昭和五（一九三〇）年には糸数をそれぞれ二区制にして、これまでの旧字を一区、屋取を二区として字制が施行された（『玉城村富里誌』）。

戦後になって二区制は廃止され、昭和二十一（一九四六）年と二十二（一九四七）年に、垣花二区と仲村渠二区の一部が親慶原、百名二区が新原、糸数二区が喜良原、富名腰二区が愛地になって新しい字が誕生し、さらに字堀川が新しくできた（『玉城村富里誌』）。

玉城の琉歌

○○○○

黄金輝きゆる　玉城御門　夏至太陽加那志　御門ふけて

（作・源河史都子氏）（『南城市琉歌募集事業作品一覧』及び『くむこ玉城』より）

愛地（あいち）（エーチ）

玉城地区の愛地（エーチ）の位置

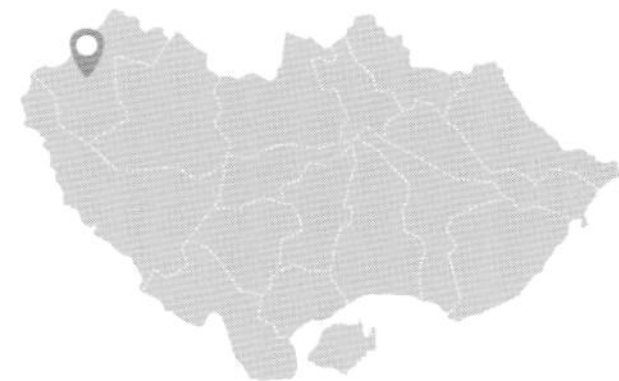

地名の由来

愛地（相地）は「間地（あひち、あいち）のことで、大里間切の稲嶺と玉城間切の船越との間にある土地を意味する位置地名であろう。方言のエーチはアヒチ（間地、相地）→アイチ→イェーチ→エーチと転訛したものである。

「相地屋取」が愛地に

明治十二（一八七九）年の廃藩置県の頃から首里方面より移住者がやってきて、エーチヤードゥイ（相地屋取）を形成した。明治以前から明治、大正九年六月までは字富名腰に属していたが、大正九（一九二〇）年七月二十七日、字富名腰から富名腰二区として分離し、行政集落をなした。昭和二十一（一九四六）年八月に相地屋取は愛地と改称し、行政区として独立した（『玉城村誌』、『南城市玉城愛地誌』、『角川日本地名大辞典』47 沖縄県）。

伝統芸能「農村若人」

盆踊りや青年芸能フェスティバルin南城では青年会によるエイサーや伝統芸能の「農村若人」が踊られる。「盆踊りと

農村若人

エイサーの夕べ」では子供会、女性部、青年会による演舞、さらに青年会によるエイサーなどが行われて、夏の納涼祭りにふさわしい雰囲気の中で区民が一体感を楽しんでいる。

女性部による盆踊り

生徒・青年会演舞

青年会エイサー

前川（メーガー）

まえかわ

玉城地区の前川（メーガー）の位置

地名の由来

雄樋川中流左岸側に位置するため、この川にちなむ地名と考えられ、位置地名である。現在地に移転する前、山川堂神谷親雲上が識名村から糸数城跡の南西方の嶺地にあった集落（俗称山川堂）に移ってきた（『玉城村誌』）。そのために、この集落は一時「識名村」と呼称されたのであろう（「事々抜書」）。

水の豊富さが地名に

嶺地にあった集落は往来に甚だ不便だったため、その後に仲地原に乾隆元（一七三六）年に移転した（『球陽』巻之十三、尚敬王二十四年の条）。玉城村前川誌によると、嶺地（古島）は糸数城跡の南側崖下の岩石の多い傾斜地であったという。仲地原は現在地である。古島と呼称されていた嶺地は狭いながらも農耕に適し、水も豊富であったという（『玉城村前川誌』）。水が豊富であったために古島は水根（嶺）地と呼ばれたのであろう。

前川区伝統芸能

前川で伝統的に演じられてきた芸能として、「長者の大主」「寄鍬」「醜童踊」「アヤグ」「金武節」「八重瀬」「花売の縁（森川の子）」「棒術（舞方棒、ティンベー、スージヌクン、スーマチ棒）」などがある（『玉城村前川誌』）。

前川では自治会主催の敬老会が行われ、そこで「舞方棒」、「アヤグ」などの伝統芸能が演じられる。

昭和四十九（一九七四）年に前川区伝統芸能保存会が結成されたことで、区の伝統芸能は滅びることなく継承され、平成十七（二〇〇五）年には沖縄県文化協会より団体表彰された（『なんじょう文化』第6号　南城市文化協会連合会）。「南城市の民俗芸能」の二演目として「アヤグ」と「寄鍬」が平成十九（二〇〇七）年九月八日に国立劇場おきなわで上演された。

舞方棒

アヤグ場面１

アヤグ場面２

アヤグ場面３

船越（ふなこし）（フナクシ）

玉城地区の船越（フナクシ）の位置

地名の由来

雄樋川を往来して糸数城や船越城に荷物を運んだりした舟の舟子たちが宿泊していた場所を舟子瀬（ふなこせ）と呼んで、「ふなこせ」が「ふなこし」に転訛して富名腰と書かれ、さらに方音「ふなくし」に転訛して地名になったと思われる。瀬は場所・所を意味する。人事地名である。

「船越」の由来二説

船越地名の名称由来にはこれまで二説がある。一説では、前川付近から雄樋川を遡行した小舟を担いで場天浜まで運んだことにちなむ。もう一説では、舟田とも言われた、下川田原あたりの低地は、増水すると、舟で渡ったことから、舟越という地名になったと言われている（『玉城村船越誌』『角川日本地名大辞典』）。最初の説の考え方は解しかねるところであると宮城真治氏は述べている（『沖縄地名考』）。石垣島伊原間の舟越地名は東西二百メートルほどの地峡部であるので、風向によって舟を運んで東西の港を使い分けることは理解できるし、日本本土では船越地名はほとんどが海岸部に位置することが知られている。

交易の品も多数出土

船越は富名腰とも書き、方言でフナクシと言う。富名腰が昭和二十（一九四五）年に船越に改められた。現在の字愛地もかつて船越の一部であった。

雄樋川は別名「堀川（フッチャー）」とも言われ、一四〇年前まで、河口から二キロ上流のフィッシングパークがあったあたりまで、山原船が入ったといい、おもろさうしで「精渡久地（すへとごち）」と呼称された舟着場と考えられている。この精渡久地なる舟着場は糸数城跡から二キロ弱にあり、かつての糸数世の主の貿易港であったという（「おもろ地名考補遺ー船越とウフヂチューの話ー」『琉球大学法文学部紀要（国文学論集）第二六号』）。また、同じく「おもろさうし」に、屋嘉部のろ　精渡久地　立ちよわる　鳴響み、とある。屋嘉部のろが舟着場で航海安全でも祈ったのであろうか。船越は雄樋川上流域に位置し、糸数城跡や船越城跡にも近い。糸数城跡からは中国製青磁・白磁、南蛮陶器、鉄鏃、刀子などが出土している（『沖縄大百科事典　上』）。さらに開元通宝という中国銭も出土している（『南城市史　総合版　通史』）。船越城跡の入り口付近とその南側、山川之殿周辺からはグスク系土器や中国渡来の青磁、褐釉陶器などが採集されている（『玉城村船越誌』）。

綱引き綱で砂場を囲む

綱引きや夏まつりとして青年エイサー・盆踊りがある。綱引きは東（雄綱）と西（雌綱）に分かれて、午後八時頃より東西の綱置き場から綱寄せが行われる。三回の綱寄せの後に一回目の綱引きを行う。二回目の綱引きは二回の綱寄せの後に行われる。綱引き終了後に相撲が行われるが、砂場を囲む綱は綱引きの綱が使われる。その綱は毎年交互に東西の綱が使われるという。

　綱引き綱で砂場を囲むという伝統は船越独特の文化であろう。その砂場で小中学生をはじめに、一般の方、青年たちの相撲の取組が行われて綱引き行事を終了する。綱引き行事で相撲の取組が行われるの

青年エイサー

もまた珍しく、大里の当間区と相通ずるところがあり、実に興味をそそる伝統文化である。

綱引き

青年相撲

小学生演舞

糸数（いとかず）（イチカジ、イチュカジ）

玉城地区の糸数（イチカジ、イチュカジ）の位置

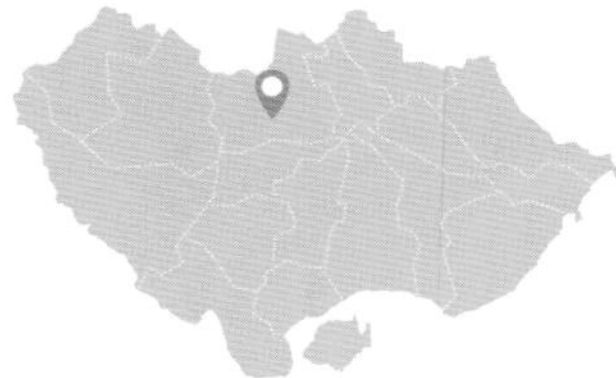

地名の由来

糸数は方言でイチカジまたはイチュカジとも言う。糸数は石灰岩台地の西端に位置し、風当たりの激しい地域である。すなわち明治の初期までは糸数の発祥地の三ヶ所とも「風当たりの激しい所」にあり、勢いの風所を意味する気象地名である。

「勢いのある風」の意

方音イチカジはイチヰカジ（勢い風）の転訛であろう。気象地名にふさわしく糸数には気象レーダー観測所が置かれている。

イチカジ（糸数）の地名は「いやはてのカチ」から来ていると言われ（『玉城村船越誌』）、『角川日本地名大辞典』では、イチカジとは弥果（いやはて）のカチ（垣）の転訛、すなわち石灰岩台地の最も果ての垣（仕切り）を意味する、と考えられている。糸数はまたイチュカシ（『沖縄古語大辞典』）、イチュカジ（『沖縄語辞典』）とも言われるが、それからすると、糸数の地名は「いちゅいかし（勢い風）」の転訛であろうとも推察される。イチュイカシ→イチュカシ→イチュカジに転訛したと考えられる。

糸数集落は、明治の初期までは、三ヶ所、現公民館より南側、糸数城跡の東側、屋嘉部に面した傾斜地、に点在していたが、明治十九（一八八六）年頃天然痘が流行し、死者が多数出たので、その頃に現在の集落地に移住することになったと言われている（『玉城村誌』）。

独特な芸能「掃除さーぶー」

糸数区では十五夜・敬老会・アカナースージ（赤子祝）が区主催で行われ、そこで「掃除さーぶー」、「舞方」、「獅子舞」、「上り口説」、「下り口説」、「谷茶前」などが演じられる。

「掃除さーぶー」は舞方・獅子舞が始まる前に舞台を掃き清めるという、糸数独特の伝統芸能であると言われている。また、一人芝居のため、一人だけがその芸を継承して数十年間踊るという珍しい方法で継続されてきたという。「掃除さーぶー」が平成二十一（二〇〇九）年八月十六日に国立劇場おきなわで行われた民俗芸能公演「国立劇場豊年祭」で上演された。獅子舞は獅子ワクヤー（獅子あやし）が優雅な振る舞いで獅子を誘って踊らせる。

掃除さーぶー

○○○○○ 糸数の琉歌

城跡ぬ大ぎさ　石積みぬ美らさ　昔偲ばする　糸数城
（作・儀間安子氏）

糸数ぬ城趾　石積や見事　昔大按司が　遺徳忍ぶ
（作・伊波興福氏）

糸数の綱引き

旧暦五月末頃新米の綱引き（ワラバージナ）が行われていたが、田圃もなくなり、新米の収穫もなくなると新米の綱引きも平成六（一九九四）年から取りやめになった。また六月ウマチー綱引きは上軍と下軍で馬追小（現農村公園）で二回行われ、三回目は男女に分かれて行われる。その後、上、下に分かれて馬追小の端でワラかカヤを燃やして綱引きの終了を告げるという（『糸数字誌』）。近年簡素化されているようである。

切手になった糸数城跡

糸数城跡の城壁が平成二十八（二〇一六）年に発行された「南城市の郵便記念切手」の一つになった。

獅子舞場面

○○○○ 糸数の琉歌

糸数城跡や　訪ねいる毎に　古えの手技　光放ち
（作・富永尚信氏）

（『第７回琉歌募集事業作品一覧』より）

喜良原（キラバル）

玉城地区の喜良原（キラバル）の位置

地名の由来

喜良原は石灰岩台地上にあり、畑地として農耕にはあまり適しないことから、嫌原と呼称されたのであろうか。あるいは耕すのに苦労することから辛原（ツラバル）→チラバル→キラバルに転訛したとも考えられる。人事地名であろう。

もとは糸数の小字

喜良原は糸数の小字であった。昭和五（一九三〇）年十二月に字喜良原として行政的に分離して糸数二区と称し、昭和四十一（一九六六）年に糸数の小字から字喜良原として行政が確立した（『角川日本地名大辞典』47沖縄県、『南城市玉城糸数字誌』）。

八月に夏祭りがある。平成二十九（二〇一七）年には子ども会踊りとして、仲順流れ、七月エイサー、海の声、唐船ドーイなどが演舞された。さらに童心太鼓、婦人会による盆踊り、民謡、親慶原青年エイサーなどが演じられた。躍動感あふれる童心太鼓に観客は魅了された。

童心太鼓

子供会踊り

屋嘉部（やかぶ）（ヤカブ）

玉城地区の屋嘉部（ヤカブ）の位置

地名の由来

屋嘉部は「おもろさうし」でも「やかふ」と謡われている。屋嘉部は「やか（宅）＋べ（部）」から成り、家の群れを意味する。すなわち、球陽も述べているように、屋嘉部は各地から居住者がやってきて、家宅が建ち並び、大きな集落になっていったことを意味し、それが地名になって、宅部（やかべ）が屋嘉部と表記された。人事地名である。

慕われた御妃東乃按司の叔父

屋嘉部村はもと「あだん口」という村に属していたという（『角川日本地名大辞典47沖縄県』）。

『球陽』巻之四　尚元王四（一五五九）年の条に、「首里の和積善　国頭子景常は、すなわちこれ尚元王、御妃東乃按司の叔父である。聖主（王）は深くその貧を哀れんで、屋嘉部の田地を賜う。これにより、家宅をその地に移して、屋嘉部子と改名する。その人というのは、性質が孝友であって、行事は信実である。故に遠近の人は、深くその徳沢を慕う。南から北に至るまで、先を争って帰来し、集まって屋嘉部村となる」とある。八月に納涼祭があり、エイサーなどが披露される。

青年会エイサー

エイサーに参加した子供たち

富里（フサトゥ）

玉城地区の富里（フサトゥ）の位置

地名の由来

『玉城村富里誌』（一九九二年）によれば、仲栄真渠（仲間渠）の小集落が元文二（一七三七）年頃仲間村となった。その他に富里ん渠と嶺村の小集落があったが、嶺村は拡大して富里の三叉路付近まで拡がった。三叉路付近まで拡がった嶺村の一部が嶺村から分離して、富里ん渠と合併し大きな富里村になった。また、明治十三（一八八〇）年頃に仲間村が富里と合併して、さらに大きな集落の富里村が成立した。この大きな集落を意味するウフサトゥからウが脱落して、フサトゥとなり富里と表記されたという。

富里のアシビナー

アシビナーは公民館前の広場で、大正年間と昭和のはじめ頃は村芝居も盛んで、ほとんど毎年やっていたという。演目は「バザンガーニー」「仲直り三郎小」「泊阿嘉」「イサヘイヨー」「はく情」「少女ゆうかい」「程道士（テイドウシ）」などで、その外に「棒術」「口説」「踊り」「オージメー」などもやっていた。特に字富里だけにしかない劇に「ヒドの大主（ウフヌシ）」がある。これは大正天皇即位祝典の時に玉城村で演じられたこともある。昔は村芝居も盛んであったが、昭和十（一九三五）年頃から次第に衰え、戦後はやらなくなった（『玉城村富里誌』）。旧七月のお盆前後に公民館前の広場でやぐらをつくって盆踊りが行われる（『同誌』）。

エイサーと綱引き

青年会によるエイサー道ズネーが旧盆に行われるが、スタート前に公民館前の広場で乾杯を行う。その後集落の要所要所七ヶ所でエイサーを奉納するというが、チョンダラーのいないエイサーもまた珍しい。年配の方々が自宅近くの要所で腰掛けてエイサー隊を待っている姿も散見された。三人の地方（じかた）による見事なエイサー唄と青年たちの威勢のある演舞に沿道の観衆は魅了された。

公民館前広場での納涼祭（エイサー・盆踊りの夕べ）では青年会による威勢のいいエイサー演舞が行われる。この演舞に先立って見事なチョンダラー踊りがある。エイサー道ズネーではチョンダラーの参加はなかったが、納涼祭では富里独特の勇壮で躍動的なチョンダラー踊りが披露された。婦人会による盆踊りがあり、途中から区民や青年会が参加して祭りを盛り上げ、区民の一体感を醸し出していた。

旧暦六月二十四日に綱引きがある。綱引きは公民館前（アシビナー）で東（雄綱）と西（雌綱）に、さらに男女に分かれて行われる。綱引きを終えると、綱の尾を切って棒にさし、区の西外れまで持っていって焼くが、それは虫払いや魔除けのためであるという（『玉城村富里誌』）。

綱引き（仲宗根正昭氏提供）

青年エイサー

チョンダラー踊り

エイサー道ズネー

婦人会演舞

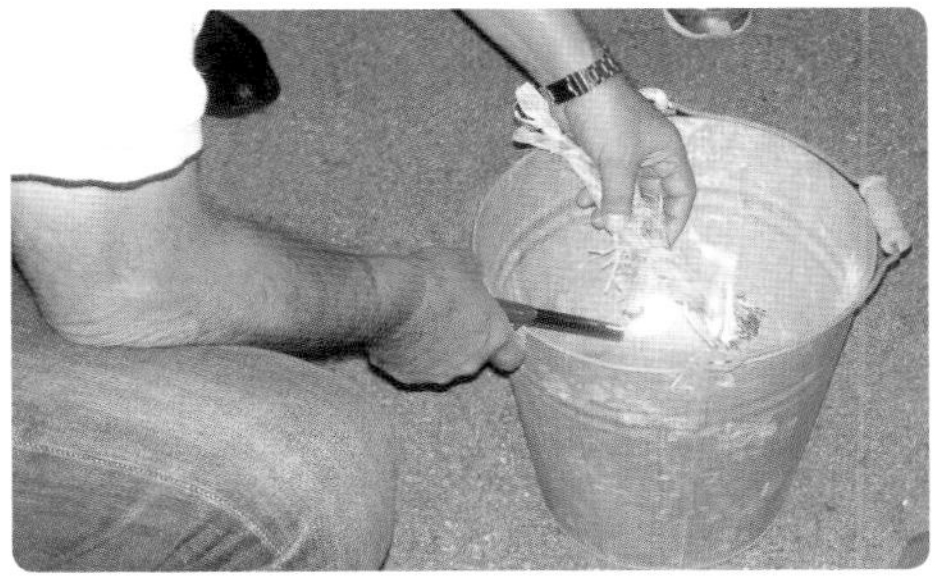

綱焼き（仲宗根正昭氏提供）

當山（とうやま）（トーヤマ）

玉城地区の當山（トーヤマ）の位置

地名の由来

玉城の當山は『絵図郷村帳』（1649年）では「當屋真」、『琉球国高究帳』（1635～1646年）では「当山」と表記されている。また、浦添市にも当山がある。當山は坦山（たうやま）の当て字で、平地の山（または森）の義である。浦添市の当山も平地の山に集落がある。地形地名である。

村芝居

終戦後に青年会や中堅層が主体となって村芝居があしびなーで行われていた。村アシビが盛んな頃には「奥山の牡丹」「孝子の誉れ」「廻り会い」などが演じられていたという（『南城市玉城　當山誌』）。今は八月に納涼祭が行われている。平成二十九（二〇一七）年には、炭坑節で入場し、オバQ音頭、アルプスの少女ハイジ、おそ松くん音頭、アンパンマンのマーチ、白いサンゴ礁の島などの曲で子供たちが踊った。婦人会は7月でーびる、松の木小唄、うるま島、肝がなさ節、豊年音頭、歌やかりゆし、トゥルルンテンなどの曲で盆踊りを披露した。青年会によりエイサーも行われ、このエイサーは読谷村から習ってきたという。

青年会エイサー

腰ゆくい行事

毎年五月に「腰ゆくい」の行事が公民館で行なわれる。もとは農作物の収穫後に行われていたものが今日まで継続されている。「腰ゆくい」にふさわしく参加者全員が牛汁をいただきながら余興を楽しく観覧した。余興では照屋マリ江さんによる「花笠踊り」「加那よー」「黒島口説」「丘の一本松」のセリフと所作の一人芝居、「繁盛節」での踊り、民謡「てぃんさぐぬ花」「汗水節」「不老長寿の花（十九の春の替え歌）」などが披露された。

綱引きは當山独自のウーセーがあった

旧暦六月二十四日に綱引きがある。綱引きは字民が東（雄綱）西（雌綱）に分かれて仲栄真門前の広場で行われる。一回目の綱引きが終わると、當山独特のウーセーに入り、綱引きの体制とは異なり、綱を横にして東西の綱頭を重ねると同時に綱の押し合いをし、押し込まれて綱を放した方が負けとなる。このウーセーは一回では終わらず、態勢を整えてふたたび始まり、双方が納得するまで行われる。二回目の綱引きが終わると男女に分かれた綱引きが行われる。綱引きを終えると綱の尾を少し切って字の端までドラ鐘を打ち鳴らし厄除けと豊年祈願をして行事を終える（『當山誌』）。

綱引きはかつて仲栄真門前の広場で行われていたが、今は公民館前の広場で行われており、綱引きそのものも簡素化されてウーセーや厄除け儀式も行われていないが、伝統行事としての綱引きに対する区の熱意を強く感じたし、区民の一体感醸成のためにも継続してほしい。

綱引き

黒島口説

チョンダラー

花笠踊り

堀川（フッチャー、ホリカワ）

玉城地区の堀川（フッチャー、ホリカワ）の位置

地名の由来

堀川は方音でフッチャーと言われ、雄樋川の別名であるという（「おもろ地名考補遺―船越とウフヂチューの話―」『琉大法文学部紀要（国文学論集）第二十六号』）。昔、堀川集落もフッチャーと呼ばれていて、志堅原や堀川で粟石を切り出すためにやってきた人々の集まりで堀川集落ができたという（多和田真安氏ご教示）。フッチャーはフイカーラ（堀川）→フイチャーラ→フイチャー→フッチャーと転訛したのであろう。人事地名である。

粟石採石で栄えた堀川

船越でも述べたように、堀川という雄樋川の別名は河口から二キロ上流まで満潮時に山原船を通すために川床を掘り下げた川の義であろう。この事実が堀川という難解な集落地名の由来を物語っている。

堀川は奥武地籍に属していたが、平成二（一九九〇）年六月二十九日に行政区として字堀川になった。公民館横にはその記念碑が建立されている。奥武島には耕地が少なく、百姓地は堀川にあった。堀川は奥武村の屋取であった。堀川の一部で粟石（牧港石灰岩）の採石が明治三十年代から始まったという（『角川日本地名大辞典　47 沖縄県』）。エイサー道ズネーの地方（じかた）のTシャツに「東地ヌ粟石や　石積み美しや　わした堀川ヌ　御世ヌ栄い」という詞があった。粟石採石で堀川が栄えたことを物語っている。

ちなみにフッチャーは小禄間切の一部であった堀川村ではスッチャーと方音されるという（『角川日本地名大辞典　47 沖縄県』）が、沖縄語辞典ではフッチャーとなっており、また同じフッチャーの方音でも石垣市川平では長男を意

味する（『沖縄文化史辞典』）。

フッチャー石

佐敷の手登根にフッチャー石があり、緯度二六度一〇分一九秒、経度一二七度四七分五四秒に位置する。この石は福建石とも書かれたりする。フッチャーは堀川の意である。この石は舟着場で舟を繋ぎ止める石で「埠碇石（ふちょういし）」とすべきではないかともある（『第一尚氏関連写真集』）。浜崎川の上流で国道にかかる橋を港橋と言っており、昔その橋の近くに港があったといわれている。

『佐敷村誌』によると、フッチャー石の付近がフッチャー小堀で、ここが往時港になって唐に往来する船が寄港したようであるという。フッチャーは船を満潮時に通すために川床を掘り下げた「堀川」の義で、浜崎川は雄樋川と同様にかつてフッチャーと呼ばれていたことをフッチャー石が物語っているように思われる。

フッチャーという呼称がすでに忘れ去られていたことに起因して、福建と書かれたのであろう。堀川は福建から転じたものであるとある（『島尻郡誌』）が、そうではない。手登根のフッチャー石は平成十四（二〇〇二）年三月四日に指定され、現在市の有形民俗文化財である。フッチャー石そのものはニービヌフニ（砂岩の骨）であろう。

堀川エイサーの夕べ

旧盆に「堀川エイサーの夕べ」があり、青年会によるエイサー道ズネーが行われる。堀川農村公園前をスタートして先ず公民館前の広場でエイサー演舞を披露する。道ズネーでは集落の十カ所ほどの要所でエイサー演舞を披露して廻る。エイサーはまず堀川独特の見事なチョンダラー演舞で始まり、その後にエイサー隊によるすばらしい整然とした勇壮な演舞が披露される。その演舞に惚

青年エイサー

チョンダラー演舞

チョンダラー踊り

れた観衆の中にはエイサー隊に呼応して小形バケツを叩く者もいた。青年芸能フェスタin南城では酒壺を担いだチョンダラーたちの見事な踊りが繰り広げられた。堀川エイサーをずっと継承発展させて欲しいと心底から願ったものである。

志堅原（しけんばる）（シチンバル）

玉城地区の志堅原（シチンバル）の位置

地名の由来

志堅原のシチンはシケウチの転訛と考えられ（『角川日本地名大辞典』47沖縄県）、シケは聖所を意味する（『沖縄古語大辞典』）。また、シキョ内は志堅原の古名か、その一部をいったものであろう（『沖縄県の地名　日本歴史地名大系48』平凡社）という。石灰岩に関わりのある地質地名である。

石にかかわりのある地名

『琉球国由来記』に、稲穂祭の時に志堅原里主之殿での当山ノロの唄に「シキョウチクダ」、「シキョウチマキョウ」とあり、クダやマキョウは集落を意味する（『沖縄古語大辞典』）。シキョウチはシ（石）キョ（拠）ウチ（内）のことで、石を基盤とする区域内を意味し、まさに志堅原の石灰岩区域を言い表したものである。方音のシチンバルも同じことを意味していて、指摘のようにシキョ内はまさしく志堅原の古名であろう。

シチンバルのシチンはシ（石）＋チン（積み）またはチン（沈）のことであろう。シチンバルはイシチンバルのイが脱落した呼称で、石の積み重なった原野か、または石の沈んだ原野を意味すると思われる。志堅原の読山原（ゆんざんばる）には粟石の埋蔵量が多く、読山石の名で沖縄本島各地に移出されたという（『角川日本地名大辞典』47沖縄県）。この事からも、シチンバルの「シ」が石を意味することを暗示する。地質地名である。大岩石をウフジシと言っている地域もあり、シは石を意味する。

志堅原はかつて奥武村の屋取で、明治三十年代から粟石の採石が始まったという（『角川日本地名大辞典』47沖縄県）。粟石は粟石石灰岩とも言われ、旧具志頭村の港川から旧玉城村の堀川・奥武島にかけて、かつて陸地及び海底地形が湾入していた所に、海流で運ばれた砂が堆積したものと考えられている（『南城市史』総合版（通史））。

志堅原に伝わる醜童踊り

醜童（シュンダウ）踊りは比嘉加那翁が首里の志堅原殿内奉公の時に伝授され、伝統芸能として保存されてきたという（『くもこ玉城　玉城文化協会のあゆみ　二〇一七』）。志堅原の「醜童」は一時途絶えていたが、平成十二（二〇〇〇）年頃に知念民夫氏と比嘉直樹氏らの努力が実って伝統芸能を復活させたという。平成十六（二〇〇四）年、二十二（二〇一〇）年には国立劇場おきなわで、二十四（二〇一二）年には南風原中央公民館で「醜童」が披露された。平成二十三（二〇一一）年の首里城祭では「醜童」「ティンベー」「槍ヌ手」が披露され、志堅原伝統芸能保存会の意気盛んなところをみせた。さらに、これら三演目の

醜童

「醜童」出演記念（知念民夫氏提供）

他に舞方棒、二人棒、三人棒などの棒術がおきなわワールドで平成二十・二十一年に披露され、観客から高い評価を受けたという（知念民夫氏資料）。

醜童は平成五（一九九三）年六月二十四日に指定され、現在市の無形民俗文化財である。志堅原伝統芸能保存会は平成二十四（二〇一二）年に沖縄県文化協会から団体賞を授与された（『くもこ玉城　玉城文化協会のあゆみ二〇一七』）。

志堅原の獅子舞と綱引き

志堅原では旧暦六月二十四日、七月十七日、八月十五日に獅子を舞わすとある（『島尻郡誌』）。今は旧暦七月十七日に根屋（ニーヤ）にビンシー（瓶子）を持参して「獅子毛（キー）調べ」が行われるが、これは根屋に保管されている獅子頭の保存状態を検査する御願行事で獅子舞の代わりに行っていて、以前は根屋で鉦鼓を鳴らして獅子舞が行われていたという（取材当時の区長知念民夫氏ご教示）。

旧暦六月二十四日には綱引きがある。綱引きは東（雌綱）と西（雄綱）に分かれて行われるが、綱引きの前に子供たちが鉦を叩きながら集落内を練り歩いて綱引きへの参加を呼びかける。東西とも綱を持って左右に揺れながら綱寄せを行って、雌雄の綱がカヌチ棒でつながると同時に綱を引く。二回の綱引きのあとに旗頭でのガーエーがある。その後に男子は西（雄綱）、女子は東（雌綱）に

綱引き

分かれての綱引きで締めくくる。綱引きを継承していく上で子供たちの参加はとても良かった。

ガーエー

新調前の獅子頭

ピッチャーとアカナー

十月に行われる敬老会の席上でピッチャーとアカナーの報告が行われ、区の人口増を皆で喜んだ。この一年間に結婚した方々をピッチャーと言い、誕生した赤子をアカナーと言っている。ピッチャーはヒチャーシ（引き合わせ）の転訛であろう。平成三十（二〇一八）年度の敬老会では「かぎやで風」、「舞方」、志堅原伝統芸能保存会による「棒術」と「醜童」、仲松民謡クラブによる「民謡」、余興としての「民謡」、婦人会による「余興」などが行われた。醜童の復活に尽力した比嘉直樹氏と知念民夫氏が十三年ぶりにすばらしい醜童踊を披露して敬老会を盛り上げると同時に老若男女を魅了した。棒術では舞方をはじめ、二人棒（組棒）、ティンベーも披露され、見事な演技で観衆を沸かせた。今後とも伝統芸能の保存継続を期待してやまない。

二人棒

舞方

奥武島（おうじま）（オー）

玉城地区の奥武島（オー）の位置

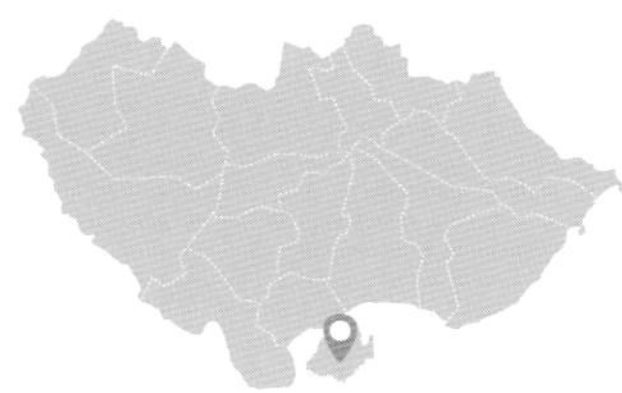

地名の由来

奥武島は方言でオー島と呼称される「おじま」（小島）の当て字で、長音化して「おーじま」となった。奥武という文字には「神をまつる所跡」の意味があり、かつて神聖な場所であったことの呼称であろう。従って奥武島は神聖なる場所の島を意味する。人事地名である。

各地にある「奥武島」

南城市玉城には玉城奥武（奥武島）、名護市の奥武島、久米島町の奥武島、座間味村の奥武島などはすべて「小島」である。『絵図郷村帳』（一六四九年）及び『元禄国絵図』（一七〇二年）では「あふ島」とあり、「あふ」は「をう」や「おう」とも表記され、奥武という漢字を当てられた。

方言の「オー」は日本古語の接頭辞「を」（小さな、細かな）」を意味すると思われる。明治十三年沖縄県統計概表では奥武は「ヲー」、琉球名勝地誌（一九〇一年）では「をー」と振り仮名がなされている。南城市知念にある「くまか（こまか）島」は「オー島」よりもかなり小さい（細かい）島を意味し、「を」と「こまか」を使い分けた小島の名称である。

「おう」をめぐる議論

奥武島は祓島の義とも言われ（『沖縄地名考』）、また奥武が青と関連して、いろいろ議論されてきた。「をう」は「あふ」や「おう」、「あおい（葵）」は「あふひ」と表記される。「あおい」の「あお」が「あふ」と表記されるため、「あふ島」の「あふ」も「青」と解されて、あふ島が「青の世の島」、すなわち奥武という地名は葬所（墓地）を指す名称と考えられた（「奥武考」、『沖縄文化』十三号、青の世界　奥武、神と村、「青」と「オウ（オー）」の地名学、『南島の地名　第六集』）。「あふ」は、畦の語形に「あうし」、「あふし」、「あぶし」と濁点がつくように（沖縄古語大辞典）、「あふ→あうふ→おうふ→おうぶ」と転訛して呼称された時代があって、ついに「奥武」という漢字が当てられ、その後「ふ（ぶ）」が脱落したあとも「おう（おー）」と呼称されたままになったと推測される。

那覇市の奥武山（おうのやま）は「小島の山」の意と思われる。ワウは海岸または港内などの小島の義で普通奥武を宛て、鹿児島の桜島も古くはオウ島と言ったが、桜の字を宛てたので、いつしか訓で読むようになった。また、海の彼方からやってくる神は、すぐに大地（本島）に上がらずに、いったんアウ（ワウ）を足溜りとして、それから村落に入ったという古い信仰がある（『伊波普猷全集』第五巻・第六巻）。

ハーリーの藤一杯

毎年旧五月四日のハーリーの日にはハーリーが行われており、さらに、うみんちゅ祭りが開かれ、ハーリー船の造り手の嶺井藤一さん（八五）の名前を冠したレースのハーリー「藤一杯」が平成二十七（二〇一五）年九月五、六日に初めて開催された。嶺井さんはハーリー船を一七〇隻ほど製作してきたという（「沖縄タイムス」平成二十七年九月十日）。長年のサバニ造りとその技能が評価され、県知事賞を授与されたという（『広報なんじょう』No.１４５）。

爬竜船競漕

綱引き

旧暦六月二十四、二十五日に綱曳きがある。二十四日はクラサで、二十五日の夕方は奥武橋近くの浜辺で行われる。稲作が盛んであった時代にはワラで縄を編み大綱を作って、綱引きも盛大に行われていた。水田が砂糖キビ畑に変わってワラの入手が困難となって大綱引きも衰微して、今はロープ綱で子供たちを中心にして綱引きが行われている（『奥武島誌』）。

綱引きは東（雌綱）と西（雄綱）に分かれて行われる。東西とも綱を持って左右に揺れながら綱寄せをして、雌雄の綱がカヌチ棒でつながると同時に綱を引く。二回行ったあとに男子は西（雄綱）、女子は東（雌綱）に分かれての綱引きで行事を締めくくる。奥武島は志堅原と隣どうしで本村だったためであろうか、子供たちの綱引きのようすはほとんど志堅原の綱引きと似ている。

浜辺での綱引き

エイサー

旧盆の頃に青年会主催による「エイサーと盆踊りの夕べ」が二日間行なわれる。夕方のエイサー道ズネーでは要所要所でエイサー踊りをして女子青年が寄付金を募る点で親慶原のエイサー道ズネーと似ている。晩には小学生によるエイサーと青年エイサーが行われる。

青年エイサー

チョンダラー踊り

奥武島の琉歌

ゆかる奥武島　夏ぬ真昼間に　烏賊ぬ簾張て　世果報かばしや（作・比嘉春栄氏）

ハーリーぬ勢い　奥武島ぬ力　いちまでぃん継じ　栄てぃいかな（作・親川孝雄氏）

（『第 10 回琉歌募集事業作品一覧』より）

中山（ナケーマ）

なかやま

玉城地区の中山（ナケーマ）の位置

地名の由来

仲栄真や中山という名称は旧集落が位置していた「山の中位の所、すなわち中位間」に由来したと考えられる。位置地名である。「なかいま」の「かい」が、日本古語の「かいな（腕）が方音で「ケーナ」に訛るように、「ケ」に訛って、「ナケーマ」になったと推測される。

一時は玉城と合併

『絵図郷村帳』（一六四九年）に「中やま」がみえるが、琉球国由来記（一七一三年）にはみえず、乾隆二年帳（一七三七年）には「仲栄真村」として再び現れる。仲栄真村は方言でナケーマと呼ばれている。戦後、仲栄真は中山と表記された。旧集落は国道より上方にあって樹木鬱蒼として昼なお暗く、地形が傾斜して交通や農耕に不便で、村歌に「里がくらさや仲栄真村」と歌われていたほどであったという。中山集落はかつて玉城村（ムラ）に含まれた時代もあった（『玉城村誌』『玉城村富里誌』）。琉球国由来記に出ていないのは玉城村に一時含まれていたためであろう。

島尻郡誌には「仲井間」とあり、旧六月二十四日、七月十七日、八月十五日に獅子を舞わすとある。獅子舞の月日が玉城と同じであり、この事はかつて玉城村に含まれていた時代の名残であろう。玉城の獅子が雌、中山の獅子が雄で一対をなしていることも、昔中山が玉城に含まれていたことを推測させるという（『玉城村誌』）。

公民館でのお祝い行事

毎年五月に豊年祭・敬老祝い・出生祝が公民館で行われると同時に多くの余興が披露される。令和元年の余興では、中山ピアノ教室・中山子供会によるピアノ演奏で始まり、玉城流康舞会と菖の会による「かぎやで風」「いちゅび小」「まるまぼんさん」「かせかけ」「通い舟」「獅子舞」「夫婦舟」「梅の香り」「金細工」などの見事な演舞が披露され、会場の参加者を魅了し、拍手喝采を送られた。「通い舟」の踊りではこっけいな所作で会場を沸かせた。最後にカチャーシーで行事を締めくくった。

獅子舞

かせかけ

金細工

玉城（たまぐすく）（タマグスク）

玉城地区の玉城（タマグスク）の位置

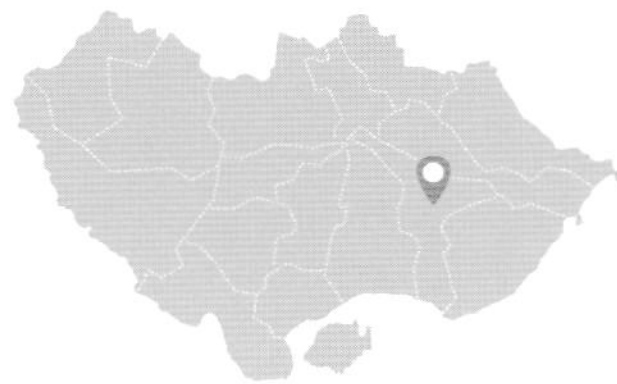

地名の由来

玉城という名称は「美しい城」の意である。玉城城は三つの郭から成り、一の郭の入口は石灰岩をくり抜いてほぼ円形を成している。この入口の円形を玉に見立てて玉城という地名が生まれたのであろう。

夏至と冬至には太陽の光が差し込み、神秘的な様相をみせる。それが形象地名となった。

「くもこ」の名を冠する地

夏至には朝日が城外から城内に差し込み、天次雨粒（テンツギアマツツ）の御嶽の香炉を照らすことで知れる。

おもろさうし（第九いろいろのこねりおもろ御双紙）に「くもこたまぐすく（雲子玉城）」とあり、「くもこ」はあから雲のことで、玉の修辞であるという（東恩納寛惇著『南島風土記』）。また雲子玉城は玉城（地名）の美称で、美しい玉城の意という（「おもろさうし 日本思想体系」）。写真のように、冬至の夕日が城外を照らして美しく光り輝く御門はまさに玉の如くに見える。

玉城グスク御門と冬至太陽の輝き

玉城の獅子舞

字玉城では旧暦六月二十四日、七月十七日、八月十五日に獅子を舞わすとある（『島尻郡誌』）。八月十五夜祭りの獅子舞は一種独特の踊り方で、はじめ三線と歌で踊り、後で金太鼓で踊る方法である。歌詞は「獅子山の獅子の人にうちなりて　遊びまに出ぢて踊るうれしや」である（『玉城村誌』）。「獅子舞」は平成五（一九九三）年六月二十四日に指定され、南城市無形民俗文化財である。玉城の獅子舞は四〇〇年以上の伝統があると言われている。

獅子舞は玉城区獅子舞保存会によって行われ、舞方棒、第一部、第二部の獅子舞がある。村の守り神としての獅子舞は、獅子とワクヤーとの一種独特の躍動感あふれる見事な動作で、観客を引きつけて離さない。戦前の獅子は米軍に持ち去られ、現在の獅子は平成十四年に新調され、戦後第四代目という。玉城シーシケーラシは歌に合わせてワクヤーと獅子との独特な舞は他に類を見ないという。

胡弓・三線・笛による地方演奏

玉城の琉歌

玉城（タマグスク）グスク　走（ハイ）り上（ヌブ）て見（ミ）れば　キラマ島尻や　一目（チュミ）どやゆる

（作・玉城律志氏）

（『詠歌集』佐敷文化協会琉歌愛好会より）

獅子とワクヤー２

獅子とワクヤー３

獅子とワクヤー１

○○○○○ 玉城の琉歌

くもこ玉城　文化花咲かち　御真人と共に　踊て遊ば（作・湧上洋氏）
（『くむこ玉城　玉城文化協会のあゆみ』二〇一七より）

黄金（おうごん）に光（ひか）る　ハートの入り口（ぐち）　玉城（たまぐすく）グスク　みなの宝（たから）（作・新垣舞氏、児童生徒の部）
（『第 10 回琉歌募集事業作品一覧』より）

百名（ひゃくな）（ヒャクナ）

玉城地区の百名（ヒャクナ）の位置

地名の由来

百名の集落発祥地が傾斜地にあったことに由来するヒラクナは「ひらこ＋な（坂処地）」のことで、このヒラクナがヒヤクナに、さらにヒャクナに転訛した地形地名である。

「ひらくな」から「ひやくな」へ

百名の旧ムラは受水走水の上の山林の中にあったらしく、山中は急坂をなしているので、百名は坂国（ヒラクナ）の義であろうと言われている（宮城真治著『沖縄地名考』）。また百名は神がおわす聖域の義とする説があり、さらに岬を意味するという説がある（根国ひゃくな—拝所の由来と御願— 南城市玉城字百名、史料編集室紀要　第二十八号）。沖縄古語大辞典に「ひららしや（未詳語、坂のことか）」の語形に「ひやらしや」とあり、「ひら」が「ひや」にも訛ることから、「ひらくな」が「ひやくな」に訛ることが知れる。「ひらら」は「ひやら」の古形であるという（『伊波普猷全集　第五巻』）。百名という地名は、宮城氏が指摘したように、「ひらくな」に由来する。

「ひら」は「ひや」になる。今帰仁方言では坂を「ピャー」と言う（仲宗根政善著『今帰仁方言辞典』、具志堅敏行著『琉球語の謎　日本語の原形を辿る』）。高嶺朝誠氏がいう「ピャウナ」と「ヒャンナ」は同義で「坂の地」のこと、すなわち「ひらくな（坂処地）→ひやくな（百名）」と同じ意味である。指摘なされたように、「百名＝平安名」ではあるが、岬ではなく（史料編集室紀要　第二十八号参照）、ともに「坂処の地」に由来する地形地名である。勝連にある平安名も同様に坂処の地である。

百名の田植えのクェーナ

田植えのクェーナが記録されており、これは三穂田で田植の式を行う時のクェーナであるという。また「長者のせりふ」と「稲シリ節」の歌詞が記録されている（『玉城村誌』）。

三穂田

稲作発祥の地の「長者の大主」

百名の「長者の大主」は稲作発祥地伝説にふさわしい伝統芸能である。長者、筑登之、子孫が登場し、次にジレ大主が現われ、ジレ大主と長者の問答のあとに、ジレ大主がアマ美津から伝え授かった五穀、ムズ（ヅ）クイ（農作、毛作）、の種子を長者に渡す。その御礼に子孫の踊りと三男の踊りをジレ大主にお見せする。ジレ大主は「出来た出来た」と褒め称える。津波古のア

ジレ大主から種子を受け取る長者

○○○○○ 百名の琉歌

ゆかる三穂田(みふうだ)や　あまん世(ゆ)の恵(みぐ)み　稲穂(いなふ)咲ち実(ふく)て　心地(くくち)さやか
（作・渡嘉敷供信氏）

百名御穂田(おぶた)の　わちやがゆ泉(いじゅん)　稲穂さちふくて　神の心地(しんち)
（作・渡嘉敷供信氏）

マンチューでは福人の大主がアマンチュー（天人）から五穀の種子を賜わる点でこの長者の大主と似たところがある。ジレ大主の「ジレ」は「ニライ」、「ギライ」のこと（『沖縄古語大辞典』）で、ジレ大主は東の彼方の楽土からやってきた大主を意味している。

「長者の大主」は芸能の変遷過程を示す独特の舞踊であると言われている。稲摺節は百名伝統芸能保存会と百名子供伝統芸能保存会により演じられたが、小学生による稲摺節は大人顔負けの見事な演技を見せてくれた。

「長者の大主」と「稲摺節」は平成五（一九九三）年六月二十四日に指定され、現在市の無形民俗文化財である（市指定文化財一覧）。「南城市の民俗芸能」の一演目として「稲摺節」が平成十九（二〇〇七）年九月八日に国立劇場おきなわで上演された。

稲摺節場面１

青年会によるエイサー演舞

○○○○○ 百名の琉歌

昔から今に　鳴響(とぅゆ)む御穂田(みぃふぅだ)　黄金波うたち　沖縄(しま)の誇(ふくい)り（作・照屋君子氏）

百名きょら浜の　明瀞の海や　アマミキヨ迎る　ちぐちどころ（作・湧上洋氏）

（『第８回琉歌募集事業作品一覧』、『くむこ玉城　玉城文化協会のあゆみ　2017』より）

百名の綱曳き

旧暦六月二十四日の綱曳きは、上区（雄綱）と下区（雌綱）に分かれて行われる。綱曳きの前に棒を掲げて互いに棒を叩き合ったり回ったりする独特の棒ガーエーがある。ウゥー棒（上区）とミー棒（下区）がそれぞれの廻る円陣に交互に合流したりして一つの円陣となって、サーサーサーのかけ声で棒上げ、棒寄せ、棒叩きをなす。百名独特のものであろう。

上区には五穀豊穣と満作の「のぼり」、下区には豊年と無病息災の「のぼり」が立っており、稲作発祥地にふさわしい。また、両区の綱の寄せ合いの前にも棒ガーエーが行われ、さらに両区の代表者による棒術演舞がある。これも百名独特の一種の鼓舞であろう。テービ（松明）も灯されて綱曳が始まり、綱曳が終わるとまたガーエーで締めくくる。

綱曳き

棒叩きガーエー

棒術演舞

新原（みいばる）（ミーバル）

玉城地区の新原（ミーバル）の位置

地名の由来

新原は新しい開墾地（耕地）の義であろう。

漁業の場として

『玉城村誌』によると今から約二〇〇年前、首里の森山家の方が漁業で暮らすには最適な場所として、移り住むようになって新原部落の歴史が始まったという。明治十二（一八七九）年の廃藩置県の頃までには部落のほとんどの門中が移り住むようになった。大正十一（一九二二）年二月二十六日に行政区として百名より分離し、百名二区として区長を置くようになった。戦後になって二区制は廃止され、昭和二十一（一九四六）年に百名二区は新原と改称された（『玉城村富里誌』）。新原は行政区ではあるが、字としては百名に属している。

垣花（かきのはな）（カチヌハナ）

玉城地区の垣花（カチヌハナ）の位置

地名の由来

垣花は方言ではカチヌハナと言い、石灰岩台地の東端に位置する。カチはこの台地が東側の低地との垣（仕切り）となっていることを言い、ハナは端（先端）を意味する。すなわち、「垣の端（カチヌハナ）」は石灰岩台地の仕切りの端のことで、それが地名となって垣花と表記された。地形地名である。

「ワナガー」の名に残る由来

『絵図郷村帳』（一六四九年）に「わな村」があり、琉球国高究帳（一六三五～一六四六年）に「和名村」がみえる。『琉球国由来記』（一七一三年）に「和名村」と「垣花村」とがあるが、乾隆二年帳（一七三七年）には「垣花村」だけとなっている。恐らく、和名村は当時用候表（一七三六年）にあるように、一七一四～一七三五年の間に垣花村に合併されたと考えられる。後述の「ワナガー」という名称がこの史的事実を教えてくれる。

集落は高台にあり、戦前飲料水を三、四十メートル下の樋川より汲んで運ばなければならなかったために、お嫁に来るのを嫌ったというが、美人の多い集落として有名だったと言い、「ミヤラビ美らさや垣花」と琉歌にも歌われたという（『玉城村誌』）。垣花樋川の水が美人を生んだのであろう。垣花樋川の昔からの呼称は「ワナガー」であり、区長は区の広報紙に「垣花樋川の正式呼称をワナガー（シチャンカー）」と記して各世帯に配ったという（「沖縄タイムス」平成二十九年二月十二日）。ワナガーという名称はかつての和名村の湧泉であったことを意味し、貴重な歴史名称である。また集落より下側にある湧水のために「シチャンカー」とも言われている。

カシチーの綱引き

旧暦六月二十五日にカシチーの綱曳きがある。綱曳きは東（雌綱）西（雄綱）に分かれて行われるが、その前にガーエーがある。子供たちも参加してガーエーを行う。綱曳きの後にもガーエーがある。二回綱曳をしたあとにもまたガーエーを行って綱曳きを締めくくる。平良徹夫氏が往時を偲んで全盛時代の綱曳き話をしてくれたので、昔のイメージを掴むことができた。時代は異なっても伝統行事の継続こそが区の活性化につながるという思いを強くした。綱曳きではかつて志喜屋との関わりも深かったということい、東側に与していたという。また、青年会による「ウデフイ」という踊りが平成二十二（二〇一〇）年に十年ぶりに復活したという。

日舞「檜」

垣花の琉歌

水飲やなざき　女童の清らさ　垣花樋川の　無蔵ゆ忍び
（作・新垣栄喜氏）

無蔵と縁結で　暮らし欲しゃあしが　垣花坂ぬ　肝にかかて
（作・仲宗根正則氏）

村芝居などにみる芸能演目

　垣花では昭和二十八（一九五三）年に行われた村芝居が最後となったようである。「鳩間節」「みるく節」「フェーヌシマ（南島踊）」、蝶一人が舞う「胡蝶の舞」「舞方棒」など、その他多々あったようであるが、外題がはっきりしていない（平良徹夫・知念康正両氏のご教示）。

　平成二十九年度の生子祝・敬老会の余興では「かぎやで風」「鳩間節」「舞方棒」、創

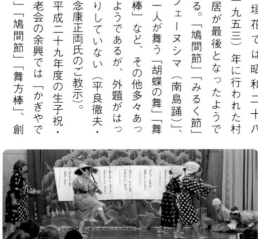

ガーエー

綱寄せ

マミドーマ

○○○○○

垣花の琉歌

音(おと)に響(とゆ)まりる　垣花の坂　途中(なか)ゆくい石ゆ　沙汰ゆぬくち

（作・仲宗根正則氏）

（『第 7、10、11 回琉歌募集事業作品一覧』より）

作ダンス「和名川物語」、子供会によるダンス、三線演奏、日舞「檜」「マミドーマ」「日傘踊り」、民謡ショーなどが演じられた。マミドーマは婦人会による独自な創作部分も加わって、こっけいで即興的な演舞で会場を沸かせて拍手喝采を浴びた。

日傘踊り

鳩間節

舞方棒

仲村渠（なかんだかり）
（ナカンダカリ）

玉城地区の仲村渠（ナカンダカリ）の位置

地名の由来

「仲村渠」の原意は人事地名か位置地名かわかりづらい。百名本村から別れて半分になったことから、半分の集落を意味する「なからたかり」が「なかんだかり」に訛った、あるいは、半らあかり（別り）からの転訛か。しかし、古い集落である百名と垣花の二集落のほぼ中間に位置することから「中の集（たか）り」がナカンダカリとなったと考えた方が理解しやすい。

半分の集落、中間の集落

金城朝永氏は語源上からは「ナカンラカリ」が正しい、と述べている。「アカリ（別り）」説（『金城朝永全集　上巻』）のほかに、仲原弘哲氏は「集（たか）り」説を述べている（『南島の地名　第三集』）。いずれも、「中」や「仲」についてあまり触れられていない。

仲村渠は一六四九年以後に百名村から村別れした。琉球国由来記（一七一三年）には中村渠村として百名村とは別村となっている。仲村渠の村渠（むらかれ（村別れ）は本村から別れた新集落の義と考えられている（「仲村渠考」『伊波普猷選集　中』）が、「仲」の説明が要領を得ない。

百名本村から分かれて半分になったことから、半ら（なから）集り（たかり）（半分の集落）が「なかんだかり」となり、仲村渠と表記されたように思われる。あるいは、半らあかり（別り）（半分の別り集落）が「なかんらかり→なかんだかり」に転訛したとも考えられる。人事地名である。

しかし、古い集落である百名と垣花の二集落のほぼ中間に位置することから

「中の集（たか）り」がナカンダカリとなったとも考えられる。宮城真治氏は中村の義として、ほぼ同じ説明をしている（『沖縄地名考』）。位置地名である。仲村渠も古い集落で、「中」の字の使用禁止令で「仲」を使用して仲村渠と表記されたのであろう。

古くからの「ウフガー」

戦前は飲料水の豊富な集落として知られ、「水のちりらん仲村渠」と玉城口説にも歌われるほどだったという。有名な仲村渠樋川があるが、地元では「ウフガー」と呼ばれていた。仲村渠樋川という呼称は集落外の人が命名したようである（「沖縄タイムス」平成二十九年二月十二日）。地元の方は昔からの呼称を忘れてはならない。

昔から旧正月の吉日に催される稲の始り天親田の行事があり、その時に歌われる「天親田のクェーナ」が記録されている。天親田の行事はミントンを中心とした催しだという。この行事は簡素化され、現在では区長ほか数名の方々が受水・走水を拝んでいる（『玉城村誌』）。

親田御願

旧正月後の最初の午（うま）の日に毎年催される田植え始めの伝統行事である「親田御願」が行われる。この儀式は四〇〇年以上の歴史があると言われ、平成五（一九九三）年六月二十四日に指定され、現在市の無形民俗文化財である。親田御願はその日の午後二時から受水・走水・親田の三ヶ所に祈願した後に田植えが始まる。終了後、ユーエー毛（祝毛）に移り、そこで東西南北への祈願儀式の三十三拝の四方拝を行う。小宴のあとに「天親田のクェーナ」を謡う。

親田御願

稲作発祥地の綱曳

仲村渠は稲作発祥地の「受水・走水・親田」を管理していて、収穫祭としての綱曳が行われ、年配の方々がテービ（松明）を持って綱曳を盛り上げ、独特の雰囲気をかもし出す。旧暦六月二十五日に上地区＝上村渠（雄綱）と下地区＝下村渠（雌綱）に分かれて綱引きを行う。綱曳はガーエーに始りガーエーで終わる。ガーエーはウゥー棒・ミー棒が共に上地区と下地区を鼓舞する棒持ちガーエーで、百名と共通するところがあり、棒術演舞も披露される。

区内のわらで綱を作るのを復活させようと、「仲村渠稲作会」が結成され、会のメンバーらで開墾した水田に初めて稲を植えたという（「琉球新報」平成三十年三月十二日）。「つながりの復活」を大いに喜びたい。伝統祭祀行事を壁画にして後世に継承しようとの区の意気込みに敬意を表したい。壁画には綱曳と田植え始めの伝統行事「親田御願」が描かれている。

綱曳き

棒持ちガーエー

親田御願で行われる田植え

子供たちによる伝統芸能

平成三十年度の敬老会・出生祝の余興では「仲村渠ミルク節」が披露された。昨年復活したそうでずっと継承してもらいたい。そのほか、伝統芸能として継承されてきた「小浜（クバマ）節」は小・中学生が、「揚作田」は青年と高校生が演舞した。子供会による「エビ・カニクス」、「子供エイサー」、「遊びしんか」による「民謡ショー」などが披露された。仲村渠にも「胡蝶の舞」があったという。昭和五十五（一九八〇）年の第一回たまぐすく祭りで「小浜節」があったとした。その他に「仲村渠三村踊り」、「生産音頭」、ミントゥンにあったという鬼面に似せた面を被って行う「鬼狂言」などがあった。平成十七（二〇〇五）年に第五十四回全国青年大会郷土芸能で青年会による「揚作田」が披露され好評を博したという（城間富雄氏ご教示）。

仲村渠ミルク節

四方への三十三拝儀式

小浜節

親慶原（おやけばる）（ウェーキバル）

玉城地区の親慶原（ウェーキバル）の位置

地名の由来

親慶原の方音ウェーキバルは上木（うわき、課税品目）植物の栽培地の義で、ウワキバル→ウハキバル→ウヘキバル→ウェーキバルと転訛したと考えられる。農地地名である。

上木植物の栽培地の意

『沖縄農民史』（饒平名浩太郎著）に「玉城間切の運天ウェーキ」とあるが、親慶原の地名と関係があるのかどうかが判然としない。同じ著者の大井浩太郎氏は親慶原は尚巴志の手作農作地であったという（『沖縄県史22　民俗1』）。ウェーキバルは上木（うわき）原の意ではないかと思われる。上木とは琉球王国時代における課税品目の唐苧（からむし）、桑、芭蕉（ばしょう）、棕櫚（しゅろ）、九年母などの植物を指す。

この地は原野であったが、十九世紀の初めごろ、首里から糸洲家の移住をはじめとして、首里・那覇や他の屋取からも来住して、屋取集落を形成した。親慶原屋取と呼ばれて垣花に属していたが、大正九（一九二〇）年に垣花二区として行政分離した。戦後になって二区制は廃止され、昭和二十一（一九四六）年に垣花二区と仲村渠二区の一部をもって親慶原と称するようになった（玉城村富里誌）。

旧盆のエイサー道ズネー

毎年旧盆の三日間青年会主催によるエイサー道ズネーと綱引きが行われる。旧七月十五日の初日は七、六、五班の下親慶原を、二日目は一、二、四班の上親慶原を、三日目は三班の上親慶原をそれぞれ巡るエイサー道ズネーが行われる。行列の先頭には地方（じかた）が乗る先導車がついていて珍しい道ズネーが繰り広げられる。行列の後尾には女子青年が「寄付金箱」を担いで踊っているのも愛らしい。三日目のウークイの晩にはエイサーと東（雄綱）西（雌綱）に分かれての綱引きが行われ、こっけいで躍動感たっぷりのチョンダラー踊りが綱引きの雰囲気を盛り上げてくれる。

綱曳き前のガーエーエイサー

エイサー道ズネー

戦後民主主義政治の芽生えの地

親慶原に昭和二十一（一九四六）年四月一日に知念高等学校が百名から移る。昭和二十七（一九五二）年二月十七日与那原の現敷地へ移転完了する（『創立五十周年記念誌』）。学校跡には創立六十周年記念事業期成会によって平成十七（二〇〇五）年十一月十六日に記念碑が建立されている。

『南城市史　総合版　通史』によると、「戦後の民主主義政治は「沖縄建設懇話会」が開催された（一九四七（昭和二十二）年五月）知念高等学校の講堂で芽生えた」という。

チョンダラー踊り

綱曳き

ウチハレの遊び

八重瀬町安里では伝承によると文政年間（一八一八〜一八三〇年）に「ウチハレの遊び」としてウスデーク（ウフデーク）を踊ったという（八重瀬町観光ホームページ）。安里のこのウフデークは三〇〇年ほどの歴史があり、五穀豊穣と子孫繁栄を願って拝所に歌と踊りを捧げるという（『琉球新報』令和元年五月十七日付）。

男子禁制の八重山の「うちはれの遊び」や宮古島の「神遊び」が裸舞として遅くまで残っていたが、沖縄本島ではすでに禁止されてなくなり、名称も変わっていたらしいが、この「ウチハレの遊び」が沖縄本島にもあったことを八重瀬町安里のウスデークが物語っている。「ウチハレの遊び」の「うち」は接頭語で、「はれの遊び」は非日常の遊び（祭り）であり、それでウスデークを踊ったのであろう。女性だけで踊るウスデーク（ウシデーク）は昔の女性だけによる神遊びの裸舞の原形ではなかろうか。

この世の平和・豊饒の祈願こそが芸能文化の発端であろう。地域の伝統芸能・しまくとぅば文化を大事にしたい。

南城市

古里地図

見聞記

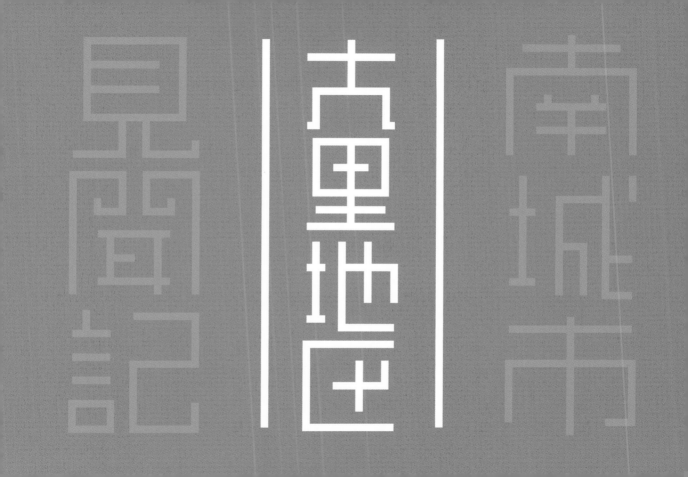

大里地区（旧大里村）

大里地区の位置

旧大里村村章（1967年9月20日制定）
2006年1月1日廃止

◉琉球王国時代の大里

南城市大里には大里城（島添大里城とも呼ばれる）がある。大里の地名は古くから阿蒲察渡、阿普察渡、務布察渡と書かれてきた（『大里村史』通史編）。昔は、島尻大里と区別するため、島添大里と呼ばれていた。

島添は、浦添の「浦襲い」の意と同様に、「島襲い」の意である。島添大里は多くのシマ（のちのムラ）を支配下に置いており、島添大里は二十五という多くの村（むら）から成る大きな間切であった（『絵図郷村帳』一六四九年）。その構成は下里（のちの新里）、小谷、津波古、南風原、真境名、湧稲国、神里、平川、宮城、古堅、島袋、嶺、与那原、大見武、城、板良敷、中程、平良、真壁、稲嶺、さきはる、上与那原、与那嶺（当

〇〇〇〇〇 大里の琉歌

大里ぬ城趾　立ちてぃ真南見りば
佐知城ぬ野山　緑清らさ（作・謝花建松氏）
大里ぬ城　東太陽昇る
中城ぬ海　広く光てぃ（作・謝花建松氏）

時無之)、南津波古(当時無之)、上津波古(当時無之)である。多くの里から成ることから「おほさと(多里)」、それが大里(おほさと)と表記されたと思われる。

ここで、与那嶺、南津波古、上津波古の三村が「当時これなし」とあるが、この当時とは『当時用候表』(一七三六年)段階であると指摘されている(田名真之著『南島地名考』)。

『琉球国由来記』(一七一三年)では、島添が消えて単に大里間切となっていて、以下の村名がみえる。西原、南風原、嶺井、与那原、大見武、宮城、与那覇、島袋、古堅、当間、高宮城、仲程、平川、湧稲国、目取真、稲嶺、稲福、大城、真境名、平良、上与那原、板良敷の二十二ヶ村である。与那嶺ノ嶽では与那嶺村とあるが、また与那嶺之殿では板良敷村となっているので、すでに与那嶺村は板良敷村に改称されていたはずである。『絵図郷村帳』に板良敷村がみえるので、一六四九年以前であると考えられる。

新里、小谷、津波古が『由来記』の佐敷間切にみえるので、一七一三年以前に大里間切からすでに佐敷間切に移管されていたことになる。新たに、宮城、与那覇の二村が一六七四年に南風原間切から大里間切に移管されたが、一七四二年に南風原間切に戻されている。その間(一六七四~一七四二年)、移管された宮城村と従来からあった宮城村とを区別するため、元の宮城村を高宮城村と改称したと考えられている(『南島地名考』)。

一七一三年以前に、目取真、大城、稲福の三村が玉城間切から大里間切へ、神里村が南風原間切へ移管さ

○○○○ 大里の琉歌

島添大里ぬ　城ぬばがりば　まさき拝まりる　御代ぬ姿(作・比嘉春栄氏)
(『南城市琉歌募集事業作品一覧』より)

れた。さらに、さきはる村と真壁村が当間村、城村が西原村、嶺村が嶺井村に、それぞれ改称された(『当時用候表』一七三六年)。一六六八年に封建的規制による、「中」の字の禁止令によって、中程が仲程に改められた(『南島地名考』)。与那嶺村は板良敷村の事とある(『事々抜書』一七四二〜一七六四年、『南島地名考』)。この改称は、隣の佐敷間切にも与那嶺村があったので、混同を避けるために、なされたものと思われる。

◉明治以降の大里

明治二年(郷村)帳には平川村は見えないが、琉球藩時代には存在することから、脱落していたのであろう。これらの村名は明治二(一八六九)年から十三(一八七四)年までほとんど同じである。すなわち、西原、南風原、平良、嶺井、上与那原、板良敷、与那原、大見武、島袋、古堅、当間、仲程、高宮城、平川、稲嶺、湧稲国、目取真、大城、稲福、真境名の各村である(『沖縄県史』第二十巻)。

明治三十六(一九〇三)年の土地整理事業の終了に伴って、西原、南風原、平良の三村を合併して大里村、仲程と当間の二村を合わせて仲間村、稲福と真境名の二村を大城村に入れ、平川と高宮城の二村を合併して高平村、島袋を古堅村に、大見武を与那原村に入れ、目取真と湧稲国の二村を稲嶺村に入れて、八つの大字にまとめられた。すなわち、大里村、仲

島添大里城跡

間村、大城村、高平村、古堅村、与那原村、稲嶺村、嶺井村の八村である。

明治四十一（一九〇八）年の「沖縄県及島嶼町村制」の施行によって、これまでの間切が村（そん）、村（むら）が字（あざ）に変更された。高宮城の一部と当間部落の一部とが昭和九（一九三四）年十一月に独立して銭又部落と合併し、銭又部落と称するようになった（『大里村史』通史編）。

◉戦後の大里

戦後の昭和二十四（一九四九）年四月一日に字与那原が旧大里村から分離独立して与那原町になった（※すもくずい（当添）について後述）。古堅二区が昭和二十一（一九四六）年福原と改称された。古い集落が七字に統合されたために、集落（行政区）名と字名との関係が複雑でわかりにくい。七字となっていたが、平成二十七（二〇一五）年八月一日大里から平良が独立し、字平良として誕生したため、八字となった。

以下に、字と行政区との関係を記す。

字大里＝西原、南風原
字平良＝平良
字嶺井＝嶺井
字古堅＝古堅、福原、島袋
字仲間＝仲程、当間
字高平＝高宮城、銭又、平川
字稲嶺＝稲嶺、目取真、涌稲国
字大城＝大城、稲福、真境名

大里（おおざと）（オーザトゥ）

大里地区の大里（オーザトゥ）の位置

地名の由来

大里にある西原はかつての城村で、島添大里按司・下の世の主・東大里按司などと呼ばれ、東四間切（大里、佐敷、知念、玉城）を支配していた汪英紫の居城であった大里城跡がある。のちの大里という村名はこのような歴史的経緯による歴史地名と思われる。

3地域の合併でできた大里

大里は、明治三十六（一九〇三）年に西原（にしはら）（ニシバル）、南風原（はえばる）（フェーバル）、平良（たいら）（テーラ）が合併して成立した字である。

西原はゲル森（むい）という丘陵上に始めの部落があったようで、その後次第に北に移り、現在の位置に部落立てをしたので、北原（にしばる）という部落名になり、西原と当て字されたという（稲村賢敷著『沖縄の古代部落マキヨの研究』）。ゲル森はギリムイ御嶽のあるギリムイのことであろう。ところが、ギリムイ御嶽のあるギリムイグスクは玉村グスクとも呼ばれ、島添大里グスクに移る前のグスクと言われている。また西原区の古島は長堂原に所在し（大里村の民俗文化財）、そこから北の現在

トゥーティークン

地に移ったことになる。琉球国由来記ではギリムイはゲノ森と記されている。西原は絵図郷村帳（一六四九年）では城村となっていて、かなり古い集落であり、琉球国由来記（一七一三年）では西原村に改称されている。西原（ニシバル）は大里間切の北の方（北側）に位置する地域のことで、方位地名である。

移転後も使われた西原のフルジマガー

「球陽」（巻之十六）尚穆王三十（一七八一）年四月四日の条に、「西原村が耕すところの田圃は村からはるかに離れていて遠い。水井泉もわずかで用を欠く。八九町も歩いて行って水を汲み、多くの時間を費やして百姓は疲れて飽きる。今すでにこのようすであれば、すなわち将来ますます疲れることを恐れる。そもそも阿多伊原地方は野原に行って水を汲むのに便利であり、且つ風水もまた善い。各役及び百姓は、村をその地に移すことを請う。故にその請うことを許す」とある。阿多伊原は沖縄各間切村原名（明治三十六（一九〇三）年）と沖縄県市町村別大字・小字名集（昭和五十一（一九七六）年）には見当たらず、西原区の古島があった長堂原のことであろう。そこから集落が移転したことで長堂原のフルジマガーは農業用水として利用されているという（『大里村の民俗文化財』）。

南風原のアミシー綱

南風原（フェーバル）は南風原の古島が大里城の南

○○○○ 大里の琉歌

島添大里の　チチンガーの泉　こまさ石組や　他所（ユス）にまさて

（作・前原武光氏）

（『第 11 回琉歌募集事業作品一覧』より）

寄りに当たること（南城市遺跡分布地図）による方位地名であるが、現在は移動したために西側にある。

南風原では大人の綱引き（アミシー綱）は近年区民が参加しやすいように土曜日に行うようになった。綱引きの前夜祭には食栄森（いいむい）御嶽で四十五歳の男性が「くじ」を引いて北（ニシ）組南（フェ）組の綱の雌雄を決めるというとても珍しい伝統的やり方を継承している。他に類を見ない方法である。綱引き当日は北組と南組が食栄森御嶽に集合し、そこから旗頭を先頭に別々の道ズネーをして、公民館斜め前の饒波川横にある広場に合流し、ガーエーを行ったのちに綱引きを行う。勝組が手綱の一つをはずして川の水につけて引き上げる独特の雨乞いの儀式がある。綱引きを終了するとガーエーをしてから再び食栄森御嶽に集合し、無事終了したことを報告して綱引き行事を終える。

綱引き

ガーエー

雨乞い儀式

チチンガー

獅子像

平良（たいら）（テーラ）

大里地区の平良（テーラ）の位置

地名の由来

平良公民館後方の、ひら（坂所）にはウタキ・拝所・井戸などがあり（『大里村の民俗文化財』）、また屋敷や屋敷跡などもあり、集落の発祥地と考えられる。そこは高坂（たかひら）になっており、山原語で「たーひら」という（『沖縄地名考』）。「高く」の語形に「たーく」とあり（『沖縄古語大辞典』）、たかひら→たーひら→たひら→たいら、と転訛したと考えられる。地形地名であるが、原意とは逆を意味する当て字がされている。

子供たちもともに伝統行事を

平良は平成二十七（二〇一五）年八月一日から、境界変更によって、これまでの字大里から新たに「字平良」として誕生した（『琉球新報』平成二十七年八月二十八日）。旧暦六月十五日には子供の綱引き、同六月二十六日には大人の綱引きがある（『大里村史　通史編』）。綱引きは北(にし)（雌綱）と南(フェ)（雄綱）に分かれて行われ、大人・子供が一体となって綱を引くことで区民の一体感を醸し出している。また子供たちによるトゥール（燈籠）作りがあり、出品した子供たちにはご褒美が与えられて、その創作意欲を高め、芸術文

綱寄せ

化の発展に寄与している点で仲程のトゥール作りと似ている。また子供たちによる合唱もあり、子供たちに伝統行事文化への参加と関心を持たせる意味で高く評価されるべきである。綱引きは旧六月二十六日以降の区民が参加しやすい日の土曜日に行うようになっている。

秋の芸能祭

秋には芸能祭がある。平成二十九年(二〇一七)年度の芸能祭では「かぎやで風」、小学生による歌「南小校歌・ぼくらの島」、老人会有志による「踊り三曲」、青年会による棒術などが披露された。無言劇パントマイムを初めて見せてもらったが、平良区の新住民となったご夫婦による寸劇だったのも面白い。すべての演目が区民の一体感醸成にふさわしい芸能祭であった。

パントマイム

かぎやで風

棒術

灯籠作品発表

嶺井（みねい）（ミニイ）

大里地区の嶺井（ミニイ）の位置

地名の由来

嶺は水根（みね）のことで、国場川上流域にある宮平川の水源に位置することから、水源を意味して呼称された地名と考えられる。方言の「ミニイ」は水根堰（みねゐ（い））のことで、のちに堰を設けて貯水池を造ったことを意味し、嶺井と表記された。人事地名である。

『琉球国高究帳』（一六三五〜一六四六年）及び『絵図郷村帳』（一六四九年）には嶺、『琉球国由来記』（一七一三年）では嶺井となっている。昔部落は現在地の北側にあったので、その地を古島と言っている。古島は冬季になると北風が寒いので現在地に移ったという（『大里村史』通史編）。

稲作が盛んな嶺井

稲作が盛んな地域で、もともと藁綱を使った綱曳きが伝統行事として継承されていたが、稲作からサトウキビへの転作で藁の確保が困難となり、昭和四十二（一九六七）年以後はロープを使って綱曳きが行われていたという（『琉球新報』平成二十年八月十三日）。

綱曳き

藁による綱引きの復活

旧暦六月二十六日に綱引きがある。平成二十（二〇〇八）年八月三日、四十一年ぶりに藁による綱作りを復活させた。綱曳きは夕方に小学生と中学生が別々にエイサー踊りをして始まる。東（雄綱）と西（雌綱）に分かれて行うが、その前に女性たちによる前舞い（メーモーイ）と旗燈籠ガーエーがある。綱を寄せ合ってカヌチ棒が差し込まれると同時に引き合う。綱を引いたあとにもガーエーが行われて、区民の熱意とその雰囲気を感じることができた。

中学生エイサー

ガーエー

古堅（フルギン）

大里地区の古堅（フルギン）の位置

地名の由来

方言ではフルギンという。集落の草分けの人である照屋シーたちが陣取っていたことに由来していると考えられ、古い陣地のこと。歴史地名である。

「古い陣地」の古堅

古堅は古堅、福原（フクバル）、島袋（シマブクル）が合併して成立した。

集落の草分けの人である照屋シー（照屋氏）は大里按司に仕えていた人で、タカンミムイ（高嶺森）で、要塞としての警備にあたったといわれ、その森の中腹あたりにはユミヒチャーモー（弓引き毛）という所があるという。彼は後に王府にも使えたという（『古堅地区集落地域整備事業記念誌』）。

中山領域であった南風原町喜屋武との境界近くに新たに別の陣地（陣際為、銭又、ジンマタ）ができたために、先にで

お宮へミーミンメーを奉納

きた陣地の所を古陣（ふるぢん）と言ったのであろう。このフルヂンがフルギンに転訛して、古堅と漢字表記された。ちなみに、読谷村の古堅は比謝川沿いにあり、この川を境にして座喜味城側の布陣があったと推察され、フルギンと呼称されている。

アシビモーでの棒術

チョンダラー

綱曳き開始（カヌチ棒挿入）寸前

お宮へ向う弥勒

ミーミンメーが導入される以前はヌーバレーがあった。ミーミンメーは旧暦四月一日に行われていたが、一日後の日曜日に行うようになった。平成二（一九九〇）年三月十五日に指定され、市の無形民俗文化財である。平成二十八年には昼の部はアシビモーでミーミンメー、ハイファー棒、組棒などが、夜の部では「かきやで風」など十八演目の中で「チョンダラー」も演じられた。旧暦六月二十六日にはアミシー（雨乞い）の綱曳きが行われる。

福禄寿の原、福原

福原は古堅二区と呼称されていたが、二区としての独立は昭和元年であるらしく、昭和二十一（一九四六）年に古堅二区の呼称を改め、新しい行政区として出発したいとのことで「福原」の呼称が提案された。福は福禄寿に通じ、原は広大な集落の地形を表すので、福原が宜しかろうと「福原」と称するようになったという（『福原コミュニティーセンター落成記念誌』）。福原（フクバル）の福は方音フク（圃処）にも通じ、福原は畑所の広い平坦地の義ともなる。地勢地名である。

谷茶前

アブジャーマー

創作舞踊マミドーマー

福原の芸能のつどい

平成二十九年度は幕開けの「かじゃでぃ風」、小学生による演舞「校歌ダンス」、エイサー「ミルクムナリ」「ダイナミック琉球」、老人会によるエイサー「肝かなさ節」ほか、中学生によるエイサーなどが披露された。中でも「福原の歴史、三線にぬしてぃ」では「福原」という地名の本義を歌の形で見事に表現したことにとても感動した。

福原の歴史、三線にぬしてぃ

風が激しく吹く島袋

島袋集落はフルジマ→ナカジマ→島袋（現在地）へと三回も移転したという（『大里村の民俗文化財』）。島袋（しまぶくろ）（シマブクル）は風巻吹壠（しまぶくろ）のことで、風が激しく吹きまくる小高い所の義で、地形地名である。

北中城村の島袋（しまぶく）（シマブク）は「風巻吹処（しまぶこ）」のことで、風が激しく吹きまくる所の義で、「く」は「こ（処）」の転訛である。同じ島袋の漢字を当てているが、読みで若干意味が異なる。この読み方の違いは、北中城の島袋の発祥地が丘陵の東側にある真川原の平地であった（『北中城村史』第二巻　民俗編）ために、「小高くなった処」を意味する「壠（くろ）」が付かないためである。

島袋の納涼祭

島袋区の平成二十九年度の納涼祭では舞踊「かぎやで風」、女性会／老人クラブによる盆踊り「島袋賛歌・南城市音頭」、民謡「祝い節・かたみ節・安里屋ユンタ・ナカジャヒー」など、健康体操「沖縄そば・島人の宝」、ギター演奏、小学校ＰＴＡ／こども会によるエイサー「ミルクムナリ・三線の花・ダイナミック琉球」、老人会による舞踊「ちぎり・港町13番地」、大里中学生によるダンス「ダイナミック琉球」などが演じられ、観客はそれぞれの演目に魅了された。

民謡に合わせてリズミカルに踊る小学生

盆踊り（島袋賛歌・南城市音頭）

仲間（なかま）（ナカマ）

大里地区の仲間（ナカマ）の位置

地名の由来

仲間は明治 36（1903）年に仲程村と当間村が合併して成立した字である。仲程（なかほど）（ナカフドゥ）は中程のこと、すなわち旧大里村域の南北に至る中間距離という位置地名である。当間（とうま）（トウマ）は古島ガーのある平坦地が当間集落の発祥地で、つまりトウ（坦（たう）、マ（場所）、平坦な場所（土地）を意味する地形地名である。

古島ガー周辺からの移転

『球陽』巻之十六によると、尚穆王二十四（一七七五）年九月十日の条に、「当間村は人民が繁栄しない。且つその田圃の用水もまた便利ではない。もともと真壁原は単に田圃の用水の便があるだけでなく且つ風水もまた善い。村人並びに管掌各役の詳請により、故にその地に移すことを許す」とある。移る前はどこに村があったのか、この文だけでは判らないが、元の集落跡は古島ガーのある所で、そこから移ったことが知られている（『大里村の民俗文化財』）。真壁原は沖縄各間切村原名（明治三十六（一九〇三）年）には見当たらない。

獅子とワクヤー

戦時体制で消えた村芝居

旧大里村内で村芝居をやっていたのは南風原、平良、当間、仲程、稲嶺、大城、真境名などで、三年または五年おきのことが多い。昭和十二（一九三七）年の戦時体制後に簡素化されたり中止されたりした（『大里村当間区　戦後五十年の歩み』戦前の様子）。

当間の村芝居と獅子舞

八月十五夜に区の大きな行事として催されていた。演目には組踊「伏山」「八重瀬」、雑踊「上り口説」、狂言「グヤー主」、歌劇「ハイカラ娘」などがあった。さらに棒術、獅子舞、七、八歳頃の子供たちによる「スウリー東」が演じられた。獅子舞は毎年旧暦七月十七日のヌーバレーと八月十五夜遊びの二回行われる。二〇〇〇～五〇〇年の歴史があると言われ、西原間切棚原から導入されたという。大正三年、軽便鉄道の那覇ー与那原間および大正十二年の那覇ー糸満間の開通祝いで当間の獅子舞が演じられ称賛を受けた。戦後に途絶えるが、昭和三十二（一九五七）年に獅子を制作して復活させた（『大里村当間区　戦後五十年の歩み』）。獅子の舞は1、チチンザシ　2、スバトゥンジ　3、ウーマーイ　4、カクジウッチャキ　5、シラングイ　6、カクジスビチ　7、ガクガクガク、の順になっている。当間の獅子舞は、平成二（一九九〇）年三月十五日に市の無形民俗文化財に指定され、さらに当間区伝統芸能保存会は、獅子舞の部で平成二十三（二〇一一）年に沖縄県文化協会から団体賞を授与されている。

当間の十五夜祭と綱引き

平成二十八（二〇一六）年の十五夜祭は「かぎやで風」で始まり、棒術・獅子舞と続く。中高生、青年によって演じられ、舞台で三回も行われて見事であった。獅子舞はワクヤーの演技に誘われて躍動感にあふれていた。生徒を参加させることで後継者育成にも努めている。そのほかに「加那ヨー」「鳩間節」などが演じられた。

綱引きは旧暦六月二十六日「アミシの御願」で恵みの雨を乞い区民の健康と豊年や繁栄を祈願して行われたという。女性によるガーエー歌が記録されている。また六月十五日には「子供の綱引き」が行われていた（『大里村当間区　戦後五十年の歩み　戦前の様子』）。平成四（一九九二）年に二十八年ぶりに綱引きが復活したという（『知念の大綱曳き』）。東（雄綱）と西（雌綱）に分かれて行われるが、その前にガーエーがある。綱引きのあとには子供たちの相撲があり、船越と相通ずるところがある。

ガーエー

舞方棒

かたみ節

仲程の綱引き

仲程では旧暦六月十六日には子供の綱引きがあり、二十六日には大人の綱引きがある。

子供の綱引きはロープを使うが、大人の綱引きは藁綱を使う。毎年の藁綱作りは古くなった綱の一部を新しいものと取り替えるために行っており、それはまた区民の一体感を醸成するためでもある。毎年有意義な年中行事に感動させられた。また灯篭も毎年張り替え修繕がなされ、親子による灯篭作りもある。婦人会によるガーエー歌声の練習もあり、これらは行事への関心を高め一体感を持たせる上で評価されるべきである。

トゥールガーエー

綱引き

子供綱引き

大人の綱引きは東（雌綱）と西（雄綱）に分かれて引かれるが、その前に東西とも所定の場所でガーエーを行い、その後道ズネーをして農村公園に集まる。そこでも綱引き前に東西の旗燈籠ガーエーがある。東西とも綱を持って一回りして綱寄せを行い、カヌチ棒でつながると同時に綱を引く。二度目の綱引き前には、老人会によるガーエー歌の披露、小学生によるトゥールーガーエーもあって士気も高まった。綱寄せと東西の位置の入れ替えをして後に綱が引かれて行事を終える。

仲程の盆踊り

旧暦七月には盆踊りがある。平成三十年度の盆踊りでは愛（マナ）学童の皆さんによる「けん玉ダンス」、小学生によるDA PUMPの「U.S.A.」、中学生による「マミドーマー」、区民の皆さんによる盆踊りでは「きよしのズンドコ節」「安里屋ユンタ」「あしびなー」など踊られた。盆踊りの前半・後半とも舞台の演舞に合わせてその周りを区民が一体となって輪舞し、和やかな雰囲気につつまれた。金城和子琉舞研究所による「浜千鳥、黒島口説」のすばらしい演舞、そして大花火大会ではとても美しい色の花火が多数打ち上げられ、仲程区の夜空を彩った。

けん玉ダンス

高平（たかひら）（タカヒラ）

大里地区の高平（タカヒラ）の位置

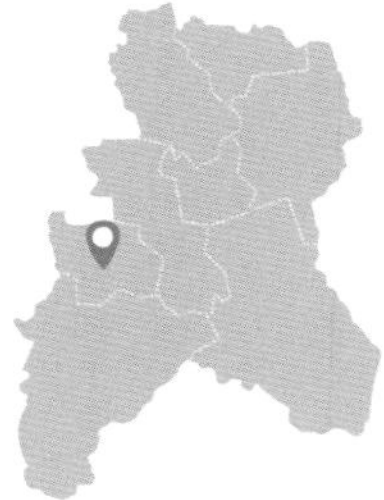

地名の由来

高平は明治三十六（一九〇三）年に高宮城村と平川村が合併して成立した字である。昭和九（一九三四）年十一月に銭又が行政区となるが、地籍は未分離のままであった（『角川日本地名大辞典』47 沖縄県）。高宮城、銭又、平川を字高平と称している（『大里村史』通史編）。

高宮城

一六七四年に南風原間切から大里間切に移管された宮城村と元からの宮城村とを区別するために、元の宮城村に「高」という字を付けて「高宮城」と地形をうまく考慮して改称している。高宮城（たかみやぎ）（タカナーグスク）は高ナー（ナの長音化、土地）グシ（越し（クシ）の濁音）ク（こ（処））のことで、高い土地を越す所の義で、上り坂の坂口に位置していて、位置地名である。方音のグスクはグシクの転である。

平川（ひらかわ）（ヒラカー）はヒラ（坂）カー（か（処）の長音化）のこと、すなわち

日傘踊り

坂所の義で、地形地名である。坂のヒラを平（ひら）に、カーを川に当て字したために原意が失われている。平川村の古島は集落後方の丘陵上にあり、集落発祥の地とされている（『大里村の民俗文化財』）。

銭又（ジンマタ）は陣際為のことで、「陣地の際の為」の義である。銭又は小高いところにあり、かつての中山と南山の境界をなす際の為に、そのあたりに陣取っていたのであろう。歴史地名である。

平川の夏祭り

平成二十八年度から平川区の夏祭りが当時の区長親川吉光氏の熱意によって初めて開催された。芸能文化の芽生えと区民の一体感を醸成したことは高く評価されるべきである。平成二十九年度には、安富祖流絃声会川平研究所一同の幕開けに始まり、日傘踊り、加那ヨー、鳩間節、一条流による日本舞踊、平川舞踊愛好家による舞踊などが行われた。

加那ヨー

鳩間節

大城(おおしろ)（ウフグシク）

大里地区の大城（ウフグシク）の位置

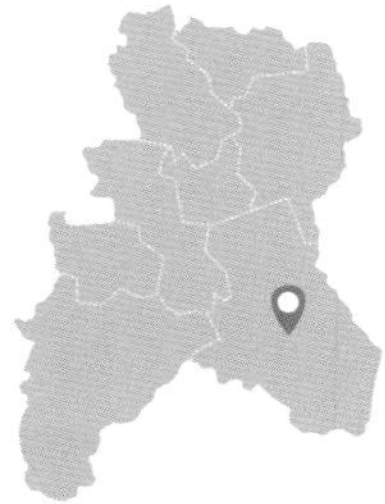

地名の由来

大城村は有力な大城按司の居城があった所で、島添大里按司に亡ぼされる前の按司は阿勃吾斯（おほごしく）と呼ばれた傑士であった（『大里村史』通史編）。この阿勃吾斯は地名に基づく人名で、この「おほごしく」は「大腰処（おほごしこ）」のこと、すなわち「広い山すその処」を意味し、これが地名になったと考えられる。「おほごしく」は「おほごしこ」が転訛したものである。

大城、稲福、真境名の合併字

およそ六〇〇年前、玉城按司の次男が玉城から大城に来て、大城グスクを造り、大城を掌握したという（『大里村の民俗文化財』）。大城は明治三十六（一九〇三）年に大城、稲福、真境名が合併して成立した字である。稲福部落は戦前丘の上にあって不便なので現在地に移った（『大里村史』通史編）。

大城は地形地名

大城集落は大城城跡の南側の山すそに立地する。大城は地形地名で、北中城村の大

支度綱

城もほぼ同様な地形に位置する。またウフグシクのウフは美称辞で大城は立派なグスクを意味するという説もある（『沖縄「地理・地名・地図」の謎』）。

稲福は「北北西の風所」

稲福（イナフク）の戦前の旧集落は佐敷地区の小谷の上側の丘陵にあって、ナカヌカーを中心に位置していた。そこには七つのカー（井泉）が知られている。戦前は副業として、小谷同様に、竹細工が盛んであったが、戦後集落が丘陵下の現在地に移動してから竹細工は行われていないという（『大里村の民俗文化財』、『大里村史』通史編）。

「おもろさうし」にも稲福の端と謡われているように、移動前の稲福は北北西から北東にかけて断崖となっていて風当たりが強い所である。稲福は「亥な風処」の義で、方音「いなふく」となり、稲福と表記された。すなわち、「北北西の風所」のことで、北北西の風が吹きつける所を意味する気象地名である。

真境名は「真の境界地」

真境名（マジキナ）は『琉球国高究帳（一六三五〜一六四六年）に「眞ざけな村」、絵図郷村帳（一六四九年）に「まざけな村」とあり、「琉球国由来記」（一七一三年）には「眞境名村」と漢字表記されている。「まざけな」は「まざかいな」の転訛で、「まざけな」が「まじきな」に転訛した。真境名は「真の境界地」の義で、大里城と大城城との領域の真実の境界をなす土地のことである。「な」は「土地」のことを指し（鏡味完二・鏡味明克著『地名の語源』、具志堅俊行著『琉球語の謎』）、位置地名である。

暴れ綱

綱曳きは豊年を祈願して旧暦六月二十六日（アミシの御願）と旧盆のウークイ（十六日）の翌日の年二回行われる。平成三十（二〇一八）年九月十六日に「シタク大綱曳・青年エイサー五〇周年」が行われた。戦前からシタク綱はあったが、昭和二十八（一九五三）年から途絶え、昭和六十三（一九八八）年に城間孝吉氏らが復活させて十年に一度開催されるようになったという（沖縄タイムス　平成三十年九月二十日）。大綱曳では雌雄の綱がカヌチ棒でつながると同時に地面に綱を叩きつける「暴れ綱」といわれる綱曳となった。東（雌綱）の支度は北山若按司・謝名大主・里村、西の雄綱には本部大原・謝花大主・石川之子の三人ずつである（大城シタク大綱曳パンフレットより）。一回目と二回目の綱曳の間に女性陣（みやらび会）による大城のウスデーク「ワカーリーティー」の演舞が行われ観客を魅了した。

大綱曳

獅子舞

ガーエー

青年エイサー

湊くり節

ワカーリーティー

稲嶺（いなみね）（イナンミ）

大里地区の稲嶺（イナンミ）の位置

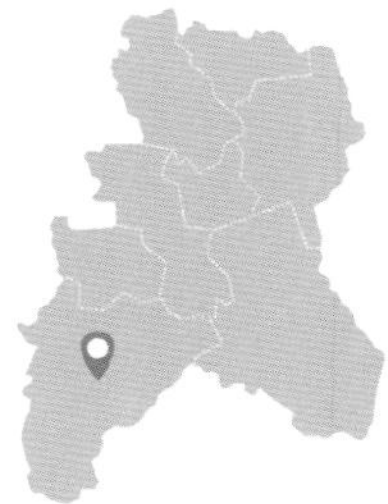

地名の由来

稲嶺は方言のイナンミが「イナ＋ンミ」に解され、稲嶺と表記された。嶺は「水根（みね）」のことで水資源である。稲嶺（イナンミ）は「井（イ）（堰）ナ（の）水資源」を意味していると考えられる。すなわち、稲嶺には大里内原公園辺りを源流とする饒波川が流れている。この川に堰を設けて水資源として利用していたことによる地名と考えられ、人事地名である。

稲嶺は三字の合併

稲嶺は明治三十六（一九〇三）年に稲嶺、目取真、湧稲国が合併して成立した字である。稲嶺の古島地域には古島橋と水川橋が饒波川にかかっており、「みずかわ」は水資源の川という意味であろう。古の人々と同様に、今の人々も川に堰を設けて農業用水として利用しているようである。

目取真は「見定める場所」

目取真（めとりま）（ミドルマ）は見取間のことで、見定める場所の義であろう。稲嶺は玉城・東風平・具志頭への通行の要所であり、目

饒波川に設けた堰

取真集落の高台がかつて監視場所として使われていたのであろう。それに基づく地名と考えられ、人事地名である。多分、東四間切（大里、佐敷、知念、玉城）を支配していた島添大里城の見張所があったことに由来する地名と思われる。

『球陽』に記された湧稲国村の移動

湧稲国（わきいなぐに）（ワチナグニ）は、旧大里村の最南端に位置し、ワチ（脇）ナ（の）グニ（区域）のことである。すなわち大里間切の「かたわらの区域」の義で、位置地名である。

『球陽』（巻之二十）尚灝王八（一八一一）年十二月十一日の条に、大里郡湧稲国村を湧野原に遷すを准す、とあり、次のように書かれている。

「大里郡湧稲国村は積年飢えに苦しみ農民はただ十五人いる。日を追って衰える。よって地理師を請うてその風水を見させると、言うことには今の村は風水甚だ悪く、湧野原は地理的に善いとのことで、その湧野原は単に稼穡（農業）の便を得るだけでなく、調べると又用水の便もある。村をその地に遷すことを請うために、頭目等の呈文（申請書）に首長、検者、地理師、地頭、両総地頭、田地奉行等の連帯印を加具して御前に至ると、よって直ちにこれを許す」とある。

この文だけでは移る前の集落がどこにあったかわからないが、フルジマガーがある古島原から現在地の湧ノ原に移ったのであろう（『大里村の民俗文化財』、『沖縄県市町村別大字・小字名集』）。

稲嶺の獅子舞と綱曳

稲嶺の獅子舞は四〇〇年の伝統があるといわれ、獅子は区の守り神・火ゲーシの守り神として祀っているという。獅子舞は旧暦八月十三〜十五日に行われる十五夜遊び（別名、獅子ぬうとぅいむち）で演じられる。十三日は公民館だけで舞方棒と獅子舞が行われる。十四日はそれに加えて、道ズネーをして根屋へ行き、根屋前の稲嶺農村公園広場に常設された舞台で、舞方棒と獅子舞を行う。

舞台で舞う獅子

公民館での舞方棒

ガーエー

道ズネー

綱曳き

公民館での獅子舞

帰りは獅子毛近くを通って公民館へ戻る。十五日は道ズネーのあと舞台で舞方棒と獅子舞を披露する。十五夜遊びの舞台では、獅子舞を三回行うことになっている。「南城市の民俗芸能」の一演目として「獅子舞」が平成十九（二〇〇七）年九月八日に国立劇場おきなわで上演された。

旧盆七月十五日に綱曳きが行われる。公民館→根屋前常設舞台→獅子毛の順で巡り、各所で舞方棒と獅子舞が奉納される。その後に公民館前で綱曳が行われるが、その前に旗燈籠をかかげてのガーエーがある。老翁によると綱曳後に雌雄両綱のしっぽを少し切り取って川に流して行事を終えることになっているという。

稲嶺の獅子舞は平成十六（二〇〇四）年五月二十五日に指定され、現在市の無形民俗文化財である。稲嶺伝統芸能保存会は平成十七（二〇〇五）年に沖縄県文化協会から団体賞を授与されている（『沖縄県文化協会10周年記念誌』）。

目取真の綱曳き

目取真では綱曳きが旧暦七月十六日（ウークイ）の日に馬場（ウマイー、現農村公園）で行われる。その前に拝所回りの「御願ガーエー」があり、「ガーエーうた」も記録されている（『農村集落総合管理施設記念誌　大里目取真区』）。そのガーエー歌の中に「小谷新里や　ちんし割いどぅくる　わした目取真や　くるまとうばる」とある。すなわち小谷新里は坂所であるが、目取真は車などを通せるほどの平坦なところだと誇張していて面白い。

目取真の綱引きは午後十時ごろからガーエーが始まり、真夜中の0時頃に綱が引かれて午前一時頃に終える。近年は少し早めに綱曳きを行うようになったとはいえ、それでも十六日のウークイを終えて後のため、他地域に比べてやはり遅い綱曳きである。勝敗が決まるとただちにカヌチ棒を抜き取り、綱とトゥールを持ってジグザグのガーエーを繰り返す。一休みして、綱からはずした藁を頭に巻きつけて「カヌチ焼き」の儀式を行うというが、そのいわれはよく知られていないという（『同記念誌』）。近年では綱曳き後に綱の一部を燃やす儀式があり（「琉球新報」平成二十八年八月三十一日）、「カヌチ焼き」に代わる儀式であろうか。雌雄の綱は西が雄綱、東が雌綱である。

すもくずい（当添〈とうそえ〉）

大里地区のすもくずい（当添）の位置

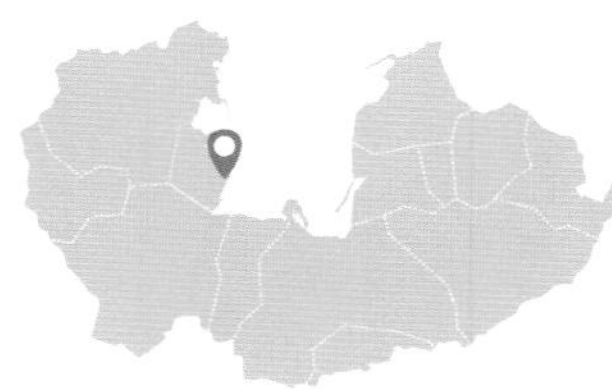

※すもくずい（当添）はかつて大里間切の板良敷村に属していた。同村は現在の与那原町板良敷。

地名の由来

聞得大君時代には「当添」という地名はなくて、「すもくずい」と言われていた。ヒジキ処の側（かたわら）、ヒジキを産する海岸のほとりを意味し、まさにヒジキの名産地として知られる当添のこと。産地地名である。

ヒジキの産地を意味する

すもくずいは「すもく＋ずい」から成り、「すも（潮藻）」はヒジキのことで、すもく（潮藻処）はヒジキ処のこと、「ずい」は添い（傍）（そば、かたわら、ほとり）のこと。王国時代から当添の地が、ヒジキの名産地として知られていたことを暗示する。

聞得大君御新下りの道クェーナに「君前　すもくずいに　ちょうわり」とある。聞得大君様が「すもくずい」にいらっしゃる、の意である。地名の「すもくずい」が当添であることを新垣源勇氏は初めて指摘なされたが、説明がなされていない

ヒジキ袋の積み出し

（『沖縄県歴史の道調査報告書Ⅳ』）。沖縄古語大辞典では比定地未詳となっている。地元ではヒジキをムー（藻）と呼んでいる。

当添は「かたわらの地」

今の与那原町の板良敷は昔大里間切に属していた。明治三十六（一九〇三）年の沖縄各間切村原名に大里間切の板良敷村に字當添とあり、大正七（一九一八）年には行政区となった（『角川日本地名大辞典』）。当添（方音トーシ）の地名は唐船が転訛したものと言い、三〇〇年前までは一軒の家もなかったという（『島尻郡誌』）。当添は唐船の転訛ではなく、坦添ひ（坦傍）のことで当添と漢字表記された。すなわち、与那原から当添にかけての平坦地のうち、大里間切板良敷村の「かたわらの地」を意味した位置地名である。

当添の久茂地ジー

当添には久茂地ジーと言われる巨岩があり、その近くに唐船グムイと呼ばれる古池があったという（『沖縄風土記全集　第四巻』）。この巨岩は久茂地ジー（久茂地岩）と書かれたりしているが、近くにあった池（クムイ）に因んでクムイ地ジーと呼称されていたのがイが脱落して久茂地ジーと表記されたのであろう。古池はこの岩の裏側にあったようである。標識では久茂久岩（kumukuji）となっている。久茂久岩はクムイ処岩のイが脱落し「こ」が「く」に訛ったものである。どちらも原意は同じであろうが、表記が異なっているだけと思われる。この巨岩は仲伊保のティーチバナー（一つ離れ岩）や兼久のマー石（琉球石灰岩）と同様にかつての海岸線の指標岩石の一つであろう。

久茂地（久茂久）岩

おわりに

合併後、一つの市となった南城市の各地名とそこの良さを知ろうと各地を歩き、またイベント等を撮影し続けてみることにした。各字の行事がほぼ同じ時期に重なるため撮影に年月を要してしまったが、南城市はなんと豊かな民俗文化の宝庫であることか、各地で出会う祭りや豊かな地名のなりたちがそれを実感させてくれた。

戦後の昭和二十年代後半頃までは各集落で盛んに行われていた「村あしび」や「村芝居」というものは、戦争で荒廃した人心を癒し、奮い立たせるための起爆剤であったと思う。戦後の一、二年で戦前の伝統芸能が復活したのは、平和のシンボルである歌・三線・舞踊で沖縄の人々が心の傷を癒そうとしたかを如実に物語っている。昭和三十年頃から村芝居などが衰退していったのは心が癒やされたからであろうか、その要因は何だっただろうか。社会情勢の変化や青年たちの減少で伝統芸能ができなくなってきたという。また、戦争で地方(じかた)が亡くなったために戦後「村あしび」が途絶えた集落も多々あるようで、地方(じかた)が居ないと芸は始まらないことを如実に物語っている。

芸能界の活躍で芸能が日本遺産に認定されたことは大変喜ばしいことである。

本書の作成に協力してくれた今は亡き妻の睦子に感謝し冥福を祈る。ありがとう。

発刊にご協力いただき、読みやすく丁寧な編集をしてくださったボーダーインクの喜納えりかさんをはじめスタッフの皆さんに大変お世話になりました。衷心より感謝いたします。

【著者略歴】

仲宗根幸男

（なかそね　ゆきお）

南城市知念生まれ。
一九六九年　九州大学大学院農学研究科博士課程中退
一九七〇年十一月　農学博士（九州大学）、二〇〇五年　琉球大学を定年退官
著書：『沖縄のデザインマンホール図鑑』（単著）『沖縄の貝・カニ・エビ』（共著）『沖縄の生物』（共著）『沖縄の自然百科19　オカヤドカリ』『週刊朝日百科　動物たちの地球68』（共著）『世界に拓く沖縄研究』（共著）『琉球列島の陸生生物』（共著）。

おもな参考ウェブサイト

http://yukarigo.ti-da.net/d2012-06-21.html
http://ombc.ti-da.net/e5484408.ntml
http://ryukyushimpo.jp/
http://nanjo-walk.jp/topics/blog/page/3
http://www.pref.okinawa.jp/site/norin/muradukuri/kassei/hyakusen.html
http://donky.ti-da.net/e3610981.html
www.youtube.com/watch?v=EmDaUP6tPX4
https://togyu.ti-da.net/e10949326.html

南城市見聞記

読んで歩いて

なんじょうの地名と文化

二〇二一年二月二二日　初版第一刷発行

著　者　仲宗根　幸男

発行者　池宮　紀子

発行所　(有)ボーダーインク
〒九〇二―〇〇七六　沖縄県那覇市与儀二二六―三
tel.098(835)2777　fax.098(835)2840

印刷所　株式会社　東洋企画印刷

ISBN978-4-89982-400-8